# TROIS JOURS
# CHEZ MA MÈRE

## DU MÊME AUTEUR

Le Pitre (Gallimard)
Berlin mercredi (Points-Seuil)
Françaises, Français (Folio)
Macaire le Copte (Gallimard)
Le Radeau de la Méduse (Gallimard)
La Vie d'un bébé (Gallimard)
Je suis écrivain (Gallimard)
Rire et pleurer (Grasset)
La Démence du boxeur (Grasset)
Franz et François (Grasset)
Salomé (Léo Scheer)

FRANÇOIS WEYERGANS

# TROIS JOURS
# CHEZ MA MÈRE

*roman*

BERNARD GRASSET
PARIS

Je voyage à cheval par la campagne
sombre, aux gémissements du vent,
sans rayon qui m'éclaire, enveloppé
dans mon manteau.

Ludwig Uhland

# 1

« Tu fais peur à tout le monde », m'a dit Delphine hier soir, en guise de point final à un dialogue qui risquait de s'envenimer. Ma conduite
la pousse parfois à des déclarations de ce genre,
de vraies sentences condamnatoires. Dans le
passé, même récent, j'ai eu droit à pire de la part
de celle que j'appelle « ma petite Delphine »
bien qu'elle mesure un mètre soixante-dix-huit.
Nous vivons ensemble depuis plus de trente
ans. Delphine est la femme que j'imagine à côté
de moi, penchée sur mon lit, si je dois mourir
un jour à l'hôpital plutôt que dans un accident
d'avion – et dans un accident d'avion, sans
doute sera-t-elle aussi à côté de moi. Hier soir,
j'ai eu droit à un verdict moins sévère que la
mort, certes, mais un verdict qui n'a rien d'un

acquittement : moi, François Weyergraf, ayant réalisé cinq films et publié dix romans, je fais peur à tout le monde.

Une telle phrase, je l'aurais notée dans mon agenda à l'époque où je prenais encore la peine d'acheter des agendas et de m'en servir, mais je ne prends plus de rendez-vous et je ne note plus rien. Pourquoi noter cette phrase ? Elle n'est pas de celles qu'on oublie facilement.

Delphine n'a pas dit que je lui faisais peur à elle, mais que je faisais peur à tout le monde. D'où sort ce « tout le monde » ? S'agit-il de nos deux filles, deux femmes adultes, capables de voir que leur père est dans le pétrin ? Sûrement. Et sans doute aussi de ma mère et de mes sœurs. Delphine, pourtant, voit peu ma famille, tout comme moi, qui me sens coupable de ne pas voir suffisamment ma mère. Je me dis presque chaque jour que je devrais descendre lui rendre visite dans cette maison des Alpes-de-Haute-Provence où elle vit seule, mais je ne m'y décide jamais. Dans la séquence du cimetière de *Huit et demi*, quand le metteur en scène interprété par Mastroianni voit son père lui apparaître, il constate tristement qu'ils se sont bien peu parlé : « *Papa, si siamo parlati*

*così poco!* » Il se pourrait bien qu'un jour je
regrette à mon tour non pas d'avoir trop peu
parlé à ma mère puisque je lui téléphone
presque chaque soir, mais de l'avoir trop peu
vue, surtout depuis quelques années. Ma chère
mère octogénaire est plus radicale que moi. Au
téléphone, elle a résumé la situation : « Finalement, je ne t'aurai pas beaucoup vu dans ma
vie. »

C'était une phrase bien envoyée ! Je ne sais
pas si elle s'en est rendu compte mais, comme
je me taisais, elle a enfoncé son clou : « C'est
vrai ! Tu es parti très tôt de la maison, tu avais
quoi, dix-sept, dix-huit ans ? — Dix-neuf,
Maman ! — Eh bien, c'est très tôt quand on
voit à quel âge les jeunes sont encore chez
leurs parents aujourd'hui. » Jusqu'à la fin des
années quatre-vingt-dix, elle venait à Paris plusieurs fois par an et logeait quelques jours chez
moi et quelques jours chez ma sœur Madeleine. C'est elle qui venait me voir, en quelque
sorte. Aujourd'hui, elle ne se déplace presque
plus. Pour venir à Paris, il faudrait qu'elle ait
besoin de consulter un spécialiste, et encore,
elle en trouve d'excellents à Marseille. Même
Marseille, à moins de cent kilomètres de chez
elle, lui paraît loin.

Quelques-uns de nos amis ont également dû faire part de leur inquiétude à Delphine. Je parie qu'elle a reçu des coups de téléphone pendant que je dormais (je me réveille en général au milieu de l'après-midi, parfois plus tard) : « Que devient François ? Il ne donne plus de ses nouvelles. La dernière fois qu'on l'a vu, il n'avait pas l'air en forme. On est inquiets. » Quand elle m'a appris que je faisais peur à tout le monde, la voix de Delphine est devenue grave comme le piano dans *La Tempête* de Beethoven ou comme le basson dans *La Tempesta di mare* de Vivaldi, bref il y avait de la tempête dans l'air et c'était loin d'être une tempête dans un verre d'eau. Notre vie en commun n'a rien à voir avec un verre d'eau. Elle relève parfois de l'ouragan. Des vents opposés créent des tourbillons, lui ai-je répondu, ajoutant que le cap des Tempêtes est plus connu sous le nom de cap de Bonne-Espérance et que ces rapports entre espérance et tempête sont moins dans la norme que le sempiternel conflit entre la haine et l'amour. J'ai parlé de la *tempestas* qui, en latin, signalait à la fois le beau et le mauvais temps. J'essayais de m'en tirer comme je pouvais, mais Delphine avait vu juste. Non seulement je fais peur à tout le monde, mais je me fais peur à moi-même.

J'aurais dû le reconnaître au lieu d'insister en parlant du ténor qui convoque les vents dans *La Tempête* de Purcell. Je me souviens mal de cette *Tempête,* une musique de scène pour la pièce de Shakespeare. Je connais mieux la pièce. Quand je la lis, je me prends pour Prospero, le vieux magicien qui comme moi préfère sa bibliothèque à tout le reste. Depuis combien de temps n'ai-je pas écouté de musique de Purcell ? Nos deux filles ont grandi en écoutant du Purcell, entre autres, au petit déjeuner, chanté par Klaus Nomi ou Alfred Deller. Tous les 33 Tours de leur enfance sont encore là, rangés sur des étagères, et de temps en temps elles demandent à les réécouter. Elles me disent : « Tu écoutes moins de musique qu'avant. » Elles ont l'air de trouver que c'est mauvais signe.

J'ai touché de l'argent pour écrire des livres dont je n'ai rédigé que les débuts. Je ne publie plus. Je n'en ai plus envie. « Mon Dieu ! L'étrange embarras qu'un livre à mettre au jour », a écrit Molière. Dans un livre sur Racine, j'ai appris qu'on lui reprochait d'être grassement payé pour écrire l'histoire de Louis XIV et de n'en avoir pas écrit une ligne. J'ai coché le passage. En fait, Racine travaillait beaucoup. Moi aussi. Pourquoi entraîner Delphine, et pourquoi se laisse-t-elle entraîner, dans cette vie de cinglés qu'est en train de devenir la nôtre. Elle l'a très bien formulé l'autre jour :

— On mène une vie de fous, ou plutôt nous sommes des fous qui vivent.

Et encore, elle ne sait pas tout. Je lui cache le courrier qui n'arrive qu'à mon nom. Depuis trois mois, je n'ose pas quitter l'appartement de crainte que des huissiers débarquent en mon absence et que ce soit elle qui leur ouvre la porte. Elle tomberait des nues.

Si je vivais seul, j'aurais le droit d'être un incorrigible imprévoyant, ce que je n'ai pourtant pas l'impression d'être. Quel genre de père suis-je pour Zoé et Woglinde ? Quand je lis et souligne les choses terribles qu'affirment les psychanalystes sur le rôle du père, je suis d'accord avec eux en pensant au mien, même quand ils vont jusqu'à suggérer que le seul

14

père un peu réel est le spermatozoïde, mais je me dis : « Pourvu que mes filles ne tombent jamais là-dessus ! », et je cache ces livres. Chère Zoé, dont le prénom est un mot grec, la vie, *Zoépoiétiki*, créatrice ! Et toi, Woglinde, qui porte le nom d'une fille du Rhin, gardienne de l'or... Quand vous étiez petites, vous me demandiez souvent de vous raconter d'où venaient vos prénoms.

Je verrais plus souvent ma mère si j'arrivais à publier. Les remords, ce n'est pas pour moi. J'ai des regrets, ce qui n'a rien à voir. Il y a dans tout remords un côté « douleur cuisante » que je ne ressens pas. Les regrets sont moins malveillants. On désavoue son passé sans le juger. Les remords empêchent d'aller de l'avant et je me dis plusieurs fois par jour, en serrant les poings comme un joueur de tennis : « Allez François ! Va de l'avant si tu veux t'en sortir ! » Toute une littérature écrite en hindi, en pâli et en sanskrit ne m'a pas attendu pour affirmer depuis des siècles que la loi de la vie, c'est aller de l'avant. La roue tourne. Qui peut la freiner ? Delphine n'eut pas besoin de l'aide d'un brahmane pour constater en souriant vaguement, dans un moment d'apparente séré-

15

nité : « Notre avenir, sous quelque angle qu'on le regarde, est assez flippant. »

J'aurai bientôt soixante ans. Delphine aussi. Si nous avions dîné un soir à Vienne chez Freud, qu'aurait-il dit après notre départ ? « Tous deux ont de fortes tendances sadiques » ? Aurait-il précisé : « L'homme n'est pas dépourvu de nets désirs masochistes » ? Au Grand Siècle, qu'aurait-on pensé de nous ? Des courtisans nous auraient vus passer dans les jardins de Versailles : « Voyez cette Princesse déjà sur l'âge et son époux suranné. » La première fois que j'ai lu cette phrase, j'étais collégien et je l'ai appliquée à mes parents. Je ne sais plus de qui elle est.

Lorsque mon père mourut, ma mère avait l'âge qui est aujourd'hui provisoirement le mien. Ses nombreuses amies catholiques, dévotes ou bigotes, furent alors persuadées, de même que mes sœurs et moi, qu'elle donnerait à tous l'image de la veuve selon saint Paul. Pour mes petits-enfants, saint Paul ne sera plus que le nom d'une station de métro parisienne et celui de la capitale du Minnesota où je ne leur souhaite pas d'aller et où naquit Francis Scott Fitzgerald. Le Minnesota est

moins attirant que la Côte d'Azur, ce n'est pas
Fitzgerald qui m'aurait contredit, même si la
Côte d'Azur a cessé depuis longtemps d'être
ce qu'elle fut pour lui, un paradis, bien que je
m'obstine à trouver que la Côte d'Azur reste
une sorte de paradis quand je regarde le cap
Canaille depuis la terrasse de l'hôtel des
Roches Blanches à Cassis ou quand je me promène sur les remparts d'Antibes. Le jour où
mes petits-enfants découvriront les livres de
Fitzgerald dans ma bibliothèque, après ma
mort, ils se demanderont comment j'ai pu
m'intéresser à ces histoires trop sentimentales,
mais revenons à saint Paul, un des rares êtres
humains à qui le Christ a pris la peine d'apparaître en personne, tout en le rendant aveugle
pendant trois jours. Saint Paul a écrit, sur le
mariage et ses à-côtés, les conseils les plus
déprimants qui soient. Il laisse la veuve libre
d'épouser qui elle veut, à condition que ce soit
« dans le Seigneur », s'empressant d'ajouter
qu'une veuve sera beaucoup plus heureuse si
elle ne se remarie pas. Saint Paul était ce genre
d'homme qui a des idées sur tout, la longueur
des cheveux ou la façon de manger de la
viande. Il disait aux esclaves : « Obéissez à vos

17

maîtres d'ici-bas » et voulait que les femmes se taisent dans les réunions publiques.

Après quelques années d'un veuvage à la saint Paul, ma mère s'éprit d'un homme un peu plus jeune qu'elle.

Elle l'annonça d'abord à chacune de ses cinq filles et ensuite à moi, son unique fils, qui le savait déjà par ses sœurs. Claire, ma sœur aînée, avait toujours dit : « Il faudrait que Maman refasse sa vie. » La voyait-elle remariée ? J'ai les mariages en horreur. Heureusement pour moi, cet homme était marié, une situation qui aurait fait fulminer saint Paul. Il avait quatre grands enfants, tous casés, et vivait avec sa femme, une personne très malade qu'il n'était pas question de mettre au courant. Le soir, il devait invoquer n'importe quel prétexte pour aller s'enfermer dans une cabine téléphonique d'où il appelait ma mère en cachette. Un jour qu'elle attendait un coup de fil de lui qui n'arrivait pas, elle me confia : « Tu comprends, je ne veux pas de mal à sa femme, elle souffre assez comme ça, je ne lui souhaite pas de mourir mais quand même ça abrégerait ses souffrances. »

Il s'appelait Frédéric Trubert. Il était le propriétaire d'une cartonnerie qu'il dirigeait. Il

inventait des voyages de prospection, tantôt la
Corée du Sud, tantôt la Finlande, pour emmener ma mère dans des hôtels de charme au bord
du lac d'Annecy ou dans les environs de Paris.
Comment faisait-il croire à sa femme qu'il était
à Helsinki en lui téléphonant de Saint-Ger-
main-en-Laye ? Comment se débrouillait-il avec
les numéros de téléphone des hôtels ? Les portables n'existaient pas à l'époque. J'avais vu une
photo de lui avant d'être au courant du rôle
qu'il jouait dans la vie de ma mère : au bord de
la piscine d'un grand hôtel, il posait à côté
d'une très jolie jeune fille d'environ vingt-cinq
ans. Sur le tirage couleurs, je n'avais remarqué
que cette fille en maillot de bain. Qui était-ce ?
Ma mère avait bredouillé qu'il s'agissait de la
meilleure amie d'une de mes nièces. J'aurais
volontiers fait la cour à cette naïade qui, près du
plongeoir, ne se doutait pas encore que son
père allait devenir l'amant de ma mère. Coucher avec la fille de l'amant de sa mère, c'est à
quelle magnitude sur l'échelle de Richter de
l'inceste ?

Non seulement Frédéric était de quelques
années plus jeune que ma mère, mais il croyait
qu'elle était plus jeune que lui. Ma mère s'en

19

amusait : « Je ne le détrompe pas. Il n'a jamais vu ma carte d'identité. Heureusement qu'on ne me la demande jamais dans les hôtels ! Je ne suis pas une menteuse, ce n'est pas ma faute s'il croit que j'ai cinq ans de moins que lui. » Tout le monde était d'accord. Ma mère ne paraissait pas son âge.

« Ce n'est que le deuxième homme qu'elle connaît dans sa vie », disaient mes sœurs qui, dans leurs vies à elles, en avaient connu davantage. Je repense à une de mes nièces qui me téléphonait pour que je l'aide à finir une « disserte ». Elle avait subitement mis fin à notre conversation en m'informant d'une voix indifférente, comme si elle signalait l'achat d'un four à micro-ondes : « Maman vient d'arriver avec son nouvel amant, je vais les laisser seuls, il faut que je raccroche. » Je n'avais même pas eu le temps de lui demander où se trouvait son père.

Mes sœurs évoquaient la vie sentimentale de leur mère avec la sollicitude de danseuses étoiles donnant des conseils à un petit rat de l'Opéra. Le jour où Maman nous présenta Frédéric Trubert, il ne s'agissait plus pour lui de négocier de la pâte à papier en Scandinavie ni d'affronter son conseil d'administration mais de s'exposer au jugement du sourcilleux aréopage que nous formions, mes sœurs et moi. Nous nous étions téléphoné les jours précédents : « Il faut trouver ce type sympathique. Il n'y a pas d'autre possibilité. » Comme toutes les familles, nous sommes une famille à risques. On ne sait jamais d'où peut surgir un dérapage. Si nous n'avions pas grandi ensemble, nous n'aurions sans doute aucun atome crochu. Tout simplement nous ne nous serions jamais rencontrés. Mais il y a cette enfance en commun qui nous colle à la peau, cette expérience vécue, ineffaçable plutôt qu'ineffable, qui n'a pas fini de nous faire du bien ou du mal, selon les moments. J'en suis encore à me demander si le premier amour de ma vie ne fut pas ma sœur aînée, Claire. Elle ne serait pas peu surprise si je lui apprenais que j'ai parfois prononcé son prénom au lieu de celui de la femme avec qui j'étais en train de jouir. Elle n'a qu'à demander à Delphine. De toute façon, je suis bizarre avec les prénoms. Quand je murmure le prénom de la femme que je suis en train de caresser, il arrive que des prénoms d'autres femmes avec qui j'ai

21

couché me traversent l'esprit et je dois faire un
sérieux effort pour ne pas chuchoter un de ces
prénoms, voire plusieurs, au lieu de celui qui
s'impose. Dans ces moments-là, je me rassure
en me persuadant que celle que je serre contre
moi remplace, résume ou annule toutes les
autres, ce qui est plus oppressant que rassurant
comme idée. Deux objets perçus ont toujours
quelque chose en commun. C'est la loi de la
ressemblance. Une syllabe, parfois une simple
voyelle, suffisent à faire apparaître un prénom
qui comporte la même voyelle ou la même syllabe. Dans le cas de Claire et Delphine, j'ai mis
du temps à me souvenir que je surnommais
Claire « Délice » quand j'étais petit. Nous
sommes souvent régis par des lois que nous
méconnaissons, des lois aussi inflexibles que
dans la grammaire où un mot dépend d'un
autre mot dans la phrase. Quand les conjonc-
tions de subordination régissent le subjonctif,
on n'est pas libre de mettre l'indicatif. Je ne
suis pas libre non plus de séparer un prénom
des autres.

La rencontre avec Frédéric Trubert eut lieu
l'été, en plein mois d'août, cinq ans et demi
après la mort de mon père, sur la terrasse de la

maison provençale où nous avons passé tant de vacances et où Maman vit seule maintenant, un ancien prieuré que mon père avait racheté pour une croûte de pain à l'évêque de Digne en 1954 ou 55. C'était une ruine à l'époque. On y accédait par des chemins de terre. Il n'y avait pas d'eau courante. On allait puiser de l'eau au puits d'un ancien cloître voisin dont il ne restait plus une pierre. Mes sœurs et moi y partagions avec des araignées et quelques scorpions un dortoir qui avait connu des jours meilleurs. Pour ceux qui connaissent la région, c'est entre Carniol et Revest-des-Brousses. Dans cette maison, un jour d'hiver, le 5 février 1974, mon père qui devait travailler toute la nuit pour finir un article avait demandé à ma mère de le réveiller impérativement avant midi. Elle était montée vingt fois lui dire de se lever jusqu'à ce qu'elle le secoue et comprenne qu'il était mort.

Pendant la veillée funèbre, mon père reposait sur un lit que ma mère et moi avions fait le matin même avec des draps de lin blancs brodés. Je ne sais plus comment nous avions placé le drap du dessous, c'est encore moins facile avec un mort qu'avec un malade. Au moment de la mise en bière, je crus que ma mère allait s'effondrer quand les deux employés des pompes funèbres introduisirent sans ménagement le corps de son mari dans un grand sac-poubelle gris avant de déposer ce paquet dans le cercueil.

Nous étions revenus du cimetière en début d'après-midi, un cimetière qui avait droit à une étoile dans le guide Michelin. On s'était arrêtés à Forcalquier pour acheter de la charcuterie chez les frères Tagliana qui n'avaient pas voulu qu'on les paye : « Votre papa était notre ami. » Mon père raffolait de leurs olives noires au thym. Mes cinq sœurs, très élégantes dans leurs tailleurs noirs, avaient improvisé un buffet froid et proposaient des boissons à tous ceux qui étaient venus, souvent de loin, nous réconforter. Leur père aurait été fier d'elles. Pourquoi faut-il que la vie s'arrête juste avant notre enterrement, une des rares occasions de succès qui nous soit garantie ? J'ai souvent imaginé le mien. Je commande mon cercueil à une jeune dessinatrice avec qui, bien sûr, j'ai une brève aventure. La cérémonie a lieu dans un aéroport ou dans un théâtre, parfois dans une église baroque en Haute Bavière. L'intérêt de ce genre d'enterrement fantaisiste, comme on dit « kirsch fantaisie » (où il n'y a pas de kirsch), c'est qu'on a le premier rôle, bien qu'il soit muet. Etre en mesure de fantasmer sur son propre enterrement prouve qu'on est en vie.

En l'honneur de Frédéric, Maman avait réussi l'exploit de réunir ses six enfants pour la première fois depuis la mort de leur père. Elle avait sorti ses coupes en cristal et, sur la terrasse, à l'ombre du tilleul, en me souvenant de mes sœurs qui servaient des jus de fruit au retour de l'enterrement de Papa, j'avais débouché la première des bouteilles de champagne millésimé apportées par Frédéric Trubert. Très décontracté, il souriait tour à tour à chacun. Il nous parla de ses voyages en Afrique. Il connaissait bien le Kenya. Il voulait faire découvrir à ma mère les plages de l'océan Indien, près de Mombasa. Elle répondit qu'elle préférerait retourner à Venise. Il parla des pentes du Kilimandjaro. Ma mère lui demanda s'il avait vu *Les Neiges du Kilimandjaro,* avec Gregory Peck, un de ses acteurs préférés. Frédéric allait peu au cinéma. Je lui appris que ma mère était une grande cinéphile. Ils n'avaient

25

pas encore eu le temps d'aborder ce sujet. Ma
sœur Bénédicte, qui avait travaillé en Afrique
du Sud comme comptable alors qu'elle avait
un diplôme de psychologie, posa des questions
sur les traces qu'avait laissées au Kenya l'insur-
rection des Mau-Mau. On sentit que Frédéric
était un homme d'affaires proche du pouvoir
politique. Il avait souvent rencontré le président Jomo Kenyatta. Je ne sais plus qui se
mit à parler de surnoms et j'eus peur que Frédéric ne nous demande de l'appeler Fred,
Freddy ou Fredo, une faute qu'il ne commit
pas. Il n'en commit d'ailleurs aucune. Après le
champagne, il nous invita à *L'Auberge du Lubé-
ron*. Il avait à tout hasard réservé pour huit
personnes dans ce restaurant d'Apt ouvert
depuis peu, qui donne sur les quais, et où il
était déjà allé avec ma mère. On prit plusieurs
voitures. Ma mère monta dans celle de Frédéric. Toutes mes sœurs conduisent. Moi aussi,
j'ai conduit, mais j'ai dû y renoncer. Je suis
trop nerveux au volant et j'ai un problème de
vision qui m'empêche, quand je double,
d'apprécier la vitesse de la voiture qui arrive en
face. Je ne vois pas la distance diminuer. Au
début des années soixante, j'ai fait Hambourg-

Naples quasiment sans m'arrêter, en traversant l'Allemagne et en dormant deux ou trois fois dans la voiture sur le bas-côté de l'autoroute. J'avais vingt-cinq ans.

Quand nous quittâmes le restaurant, Frédéric remonta seul dans sa Volvo. Il allait rejoindre sa femme en vacances chez leur fils aîné près d'Uzès. Il en avait pour une petite heure de route. Le soir dans la cuisine, ma mère étant montée se coucher, une de mes sœurs commença par dire : « C'est fou ce qu'il fait penser à Papa, il est aussi grand que lui et il a le même genre de voix. » Ma mère n'avait jamais caché sa prédilection pour les voix de basse, les voix graves, les voix rocailleuses et chaudes, comme celle de son mari qui fut un merveilleux conférencier. Elle n'aimait aussi que les hommes très grands. Mon père mesurait un mètre quatre-vingt-dix et ma mère est petite, un mètre soixante je crois. Elle aura porté des chaussures à talons toute sa vie, si bien qu'une scoliose ou cypho-scoliose la fait beaucoup souffrir aujourd'hui.

Nous savions que Maman avait rencontré Frédéric dans une soirée où l'alcool avait sûrement joué son rôle désinhibiteur. Les quelques

points communs entre les deux hommes de
la vie de ma mère (trente-cinq ans de vie
commune avec l'un, quelques rencontres espa-
cées avec l'autre) rappelaient qu'il existe des
conditions qui doivent être nécessairement
présentes pour que l'amour se manifeste, des
conditions nécessaires mais heureusement pas
suffisantes. « Toi, il te faut quoi, pour tomber
amoureux ? » m'avait demandé Bénédicte. Je
voyais plutôt les raisons qui m'empêcheraient
d'aimer une femme. Il ne fallait pas qu'elle
porte le prénom d'une de mes sœurs ou qu'elle
ait des yeux noirs et soit petite comme
Maman :

— Je n'ai aimé que très peu de femmes, ce
qui s'appelle vraiment aimer. Elles avaient des
yeux verts ou bleus. Je suis loin d'avoir aimé
toutes les blondes aux yeux bleus avec qui
j'ai...

— Bref, tu n'es pas fait pour les Méridio-
nales ! Delphine a les yeux verts, c'est vrai.

J'étais venu seul de Paris. Delphine était en
Suisse avec les deux filles. Mes sœurs aussi
étaient arrivées seules. Leurs maris (je crois
qu'elles étaient toutes mariées ou remariées
cette année-là) se trouvaient Dieu sait où. On

cessa vite de s'occuper de Frédéric qui avait téléphoné à notre mère d'une cabine à la sortie d'Uzès pour lui dire à quel point il avait été heureux de faire la connaissance de ses enfants : elle s'était empressée de venir nous le dire. Tout en liquidant une bouteille de porto, on en vint à évoquer notre grand-père paternel, un forgeron qui s'était saigné aux quatre veines pour que son fils aille jusqu'au bout de ses études universitaires et devienne avocat. Qu'avait-il pensé quand son fils lui annonça qu'il renonçait au barreau pour écrire des livres ? « Toi, me dit ma plus jeune sœur, Papa aurait préféré que tu renonces à écrire pour devenir avocat. » Nous jugions sévèrement la conduite de notre père avec le sien qu'il rabrouait la plupart du temps. Nous regrettions, tout en sirotant notre porto, de ne pas nous être montrés plus gentils avec ce grand-père. Puis, comme à chaque fois que nous étions réunis, nous avons évoqué la vie de notre grand-mère maternelle, une grande dépressive trahie par sa plus jeune sœur qui s'était installée dans la même maison et couchait avec son mari. Nous ne manquâmes pas de nous attendrir une fois de plus sur le sort

de cette petite fille de huit ans – notre mère –
contrainte de mentir pour couvrir les frasques
de son père et servant de tampon entre sa
mère et sa tante. Ces travaux pratiques avaient
conduit la charmante fillette à rafler chaque
année le premier prix de politesse à l'école.
Vers trois heures du matin, la fillette en question, qui nous avait entre-temps mis au monde
tous les six, entrouvrit la porte de sa chambre
pour nous demander de parler moins fort.

Claire avait prévu d'emmener mes autres
sœurs chez elle, dans la maison qu'elle possède
avec son mari à vingt kilomètres du prieuré
familial, près de la forêt domaniale de Sigonce.
Elle devait les conduire le lendemain matin
après le petit déjeuner à la gare d'Avignon.
Quand on s'aperçut que le jour se levait, elles
décidèrent de rester dormir au prieuré. Elles
prendraient d'autres trains, tant pis pour les
réservations. « On pourrait tous rester un jour
de plus », avais-je proposé avant d'éteindre la
lumière du couloir. Dans l'improvisation et les
rires étouffés, mes cinq sœurs installèrent par
terre des matelas de plage, des traversins,
des couvertures, et dormirent dans la même
chambre comme quand elles étaient petites.

Ma mère avait préparé mon lit dans mon ancienne chambre. J'étais le seul qui était censé dormir chez elle. Elle avait mis une bouteille d'eau et un verre sur la table de nuit. Je me relevai pour faire disparaître dans le placard une photo de mon père accrochée au mur, en espérant que je n'oublierais pas de la remettre à sa place le lendemain matin. Je n'avais pas besoin qu'il monte la garde pendant mon sommeil ni envie de me réveiller sous sa surveillance.

Je fus content de m'allonger dans des draps frais. Je reconnus les draps de lin brodés sur lesquels mon père reposait pendant la veillée funèbre cinq ans plus tôt. J'avais eu des problèmes avec ces draps le soir de l'enterrement de mon père. Delphine était arrivée de Paris ce jour-là par le train de nuit (il n'y avait pas encore de TGV) et elle s'était fait conduire en taxi d'Avignon à la cathédrale de Forcalquier où avait lieu la cérémonie religieuse. Je revois encore sa valise à côté du prie-Dieu. Elle était restée en retrait toute la journée, ne connaissant aucun des amis de notre famille, laquelle famille l'intimidait, elle qui n'en avait pas eu dans son enfance. Après avoir avalé un somni-

31

fère, ma mère alla se coucher dans une de nos anciennes chambres d'enfant, ne souhaitant probablement pas dormir sur le lit où elle avait découvert son mari mort trois jours plus tôt et nous avait laissé, à Delphine et moi, la grande chambre conjugale. Je ne tenais pas plus qu'elle à dormir dans ce lit. J'avisai, dans un coin de la chambre, un matelas à une place et une paire de draps posée dessus. Nous avons enlevé les couvertures du grand lit et trans-porté le matelas au milieu de la pièce. J'étais heureux de me retrouver seul avec Delphine, enfin quelqu'un qui, ayant très peu connu mon père, allait me parler d'autre chose que de lui.

En hiver, la Haute Provence relève moins du tourisme que de la glaciologie. « On se tien-dra chaud sur le petit matelas, me dit Delphine en faisant le lit. Viens vite je vais te réchauf-fer », ajouta-t-elle en se glissant toute nue entre les draps gelés. Je commençai de l'embrasser partout lorsque je fis un saut de carpe qui n'avait rien à voir avec une position recommandée par mes livres érotiques chinois. Je venais de me rendre compte que nous étions en train de faire l'amour dans les draps du lit de mort de mon père : « Je reconnais ce drap! C'est le drap mortuaire. C'est moi qui ai aidé Maman à le glisser ce matin sous le corps de Papa. »

Delphine se leva d'un bond et nous finîmes par nous assoupir, sans draps, sur deux matelas pneumatiques que j'étais descendu chercher à la cave. Avons-nous repris nos ébats? Je n'en sais rien. Delphine se souvient-elle de cet épisode vieux maintenant d'un quart de siècle? « Orgasme un soir d'enterrement » serait un bon titre de chapitre. « Pas d'orgasme » est un bon titre aussi. J'examinais récemment diverses traductions de l'*Iliade*. Hélène va retrouver Pâris. Traduction numéro un : « Il prend place sur sa couche et bientôt tous les deux s'abandonnent au sommeil. » Traduction numéro deux : « Il l'entraîne sur son lit et tous deux ils s'y enivrent de plaisir. »

Je fus réveillé vers huit heures du matin par le téléphone et je compris que c'était Frédéric qui appelait ma mère. Je me rendormis avant d'entendre le tintement du raccrochage et, à une heure de l'après-midi, sorti du lit le dernier, je retrouvai mes sœurs sur la terrasse. Elles avaient fait griller du pain. Le beurre fondait au soleil et des noyaux de pêche et deux pots de miel attiraient les guêpes.

— Où est Maman ?

— Elle a disparu dans le salon, elle est au téléphone avec Frédéric. Pour le peu qu'on entend, c'est touchant, elle a retrouvé une voix d'adolescente.

Dire qu'un jour on l'avait prise pour ma femme ! « Comment, dis-je à mes sœurs, je ne vous ai jamais raconté la soirée que nous avons passée, Maman, Delphine et moi, au Harry's Bar ? » C'était il y a trois ans, lors d'un séjour que Maman fit chez nous à Paris. Pendant une dizaine de jours elle avait raconté à ses deux petites-filles des anecdotes extraites de tout ce patrimoine familial dont elle est dépositaire et dont les filles étaient avides. Elle redoutait leur chat, un gouttière noir baptisé Pruneau, qui s'était entiché d'elle au point de lui sauter sur les épaules dès qu'elle bougeait et lui enfonçait ses griffes dans le cou. Elle dormait dans la chambre de Zoé, veillée par des photos de James Dean et de Leonard Whiting, le Roméo du film de Zeffirelli. A son réveil, elle entrouvrait prudemment la porte et demandait qu'on enferme le chat, le temps

qu'elle arrive jusqu'à la salle de bain. Le troisième jour, nous avons fini par confier Pruneau à une voisine.

Delphine m'avait demandé de faire des
efforts pour me lever plus tôt que d'habitude,
les jours où les filles étaient au lycée : « Ne
me laisse pas en tête à tête avec ta mère
tous les matins. Je l'aime beaucoup, mais
c'est toi qu'elle est venue voir. » Ma mère a
toujours raffolé des crustacés et, à la surprise
générale, moi qui ne cuisine pratiquement
jamais, j'annonçai qu'en son honneur j'allais
préparer un homard rôti au four. Je fis des
courses somptueuses. J'étais content que ma
mère soit venue à un moment où j'avais de
l'argent et je traversai tout Paris pour me fournir chez les meilleurs commerçants. J'achetai
deux homards de neuf cents grammes chacun,
des homards femelles, leur chair est meilleure.
J'allai choisir les vins chez Legrand. J'achetai
aussi une bouteille d'huile d'olive de Nyons :
Maman la préfère à toutes les autres. Elle s'y
connaît en olives. Elle fait la différence entre
la tanche, la salonenque, l'aglendau, la gros-
sane et d'autres variétés dont je n'ai pas retenu
le nom.

Je préparai une nage, dans laquelle mon livre de recettes conseillait de jeter les pinces, refusant d'écouter ma mère qui trouvait que de l'eau avec du gros sel suffirait. Quand je comptai vingt-cinq grains de poivre vert, elle me rappela l'ancienne expression « cher comme poivre » et quand j'ajoutai deux gousses d'ail : « Tu sais que jadis, en médecine, l'ail était surnommé le camphre du pauvre ? » Je coupai des échalotes en rondelles : « Et sur l'échalote, tu n'as rien à dire ? — Il paraît qu'on les trouvait en Palestine et qu'elles furent rapportées par les croisés... Tu vas enduire la carapace de tes homards avec de la Nyons ? Parfait ! » Elle me surveillait d'un œil expert tandis que j'incorporais les anchois hachés dans du beurre ramolli, tout en me donnant des nouvelles de mes neveux et nièces, leurs études et leurs amours. Le moment où je dus arracher les pinces à ces pauvres homards vivants ne fut pas le plus réjouissant, puis je brisai les pinces avec un casse-noix et les jetai dans la nage. A l'époque, nous n'avions pas encore nos casseroles Hackman que je regarde avec autant de plaisir qu'une sculpture de Brancusi, des casseroles finlandaises en acier brossé mat, avec deux épaisses couches d'inox qui protègent le « cœur » en aluminium. Mes homards, auxquels j'avais fendu la tête entre les deux yeux, allèrent au four dans un plat de fonte émaillée Le Creuset. Tout ce travail pour vingt minutes de cuisson ! C'est comme un roman qu'on lit en deux heures alors qu'il a fallu deux ans pour l'écrire, et plus encore dans mon cas. Je surveillai la cuisson en pensant à tout ce que les êtres humains ont aimé manger, des larves et des œufs de termites, des sauterelles réduites en poudre et mélangées à du miel, des taupes, des yeux de phoque, des cervelles encore frémissantes de singes fraîchement décapités.

A la fin du repas, ma mère conclut : « Eh bien, je me suis vraiment régalée. C'était délicieux, tu devrais faire plus souvent la cuisine. » Pour le dessert, il y avait un ananas « *mûri au soleil du Bénin et transporté par avion* », comme le signalait une étiquette, des sorbets de chez Berthillon et des macarons de chez Pons. Les filles racontèrent l'histoire de ma célèbre sauce au concombre qui devait accompagner je ne sais plus quel poisson. J'avais acheté du paprika, de l'aneth, différentes moutardes à l'ancienne mais j'avais oublié d'acheter le concombre.

Dans cet après-midi que je qualifierai d'alcyonien, sur la terrasse du prieuré, mes sœurs me dirent qu'elles en avaient entendu parler, du homard de François : « Tu prépares une fois en trente ans un repas pour ta mère et elle s'extasie, mais quand elle vient manger chez nous, tout lui paraît normal. Voilà ce que c'est, d'être le fils unique, le chéri... On préfère écouter ton histoire du Harry's Bar. »

C'était le lendemain du homard justement. Un samedi soir. Maman comptait repartir le lundi suivant. Delphine et moi, nous l'avions invitée chez Tan Dinh, un restaurant vietnamien que j'aime beaucoup rue de Verneuil. D'habitude, je ne bois que du thé avec la cuisine asiatique, mais Maman avait demandé du vin et chez Tan Dinh ils ont une cave extraordinaire. J'avais choisi un des meilleurs vins rouges du monde en citant Alexandre Dumas : « Rien ne rend l'avenir plus rose que de le regarder à travers un verre de Chambertin. » Après le repas, Maman n'avait visiblement aucune envie de rentrer. On alla boire une bière à la brasserie Lipp où elle n'avait plus remis les pieds depuis des années. C'est là qu'ils avaient l'habitude de se retrouver quand Papa avait des rendez-vous à Saint-Germain-des-Prés. En sortant de chez Lipp, on prit un taxi pour l'Opéra dont elle voulait contempler la façade : elle n'y avait vu qu'un seul spectacle, mais c'était *Norma* en 1964 avec la Callas.

Le Café de la Paix était en train de fermer. Comme Maman ne semblait toujours pas décidée à rentrer, j'ai proposé d'aller boire un dernier verre au Harry's Bar qui est à deux pas de là et qui ferme tard. Il n'y avait pas une table libre, nous sommes restés debout au bar, près de la porte d'entrée. Maman et moi, nous passâmes à la vitesse supérieure en commandant du whisky. Delphine qui déteste le whisky prit un verre de porto. C'était une soirée agréable, nous avions assez bu pour trouver tout ce que nous disions passionnant. Maman fut abordée par son voisin de droite, un homme d'une cinquantaine d'années, très grand et très élégant. Elle me tourna le dos sans façon pour discuter avec lui. Je racontai ma journée à Delphine. Je ne prêtai plus attention à Maman jusqu'à ce qu'elle me tire par la manche : « François,

Monsieur est imprimeur. Je lui ai dit que tu es
écrivain. Vous devriez faire affaire tous les
deux ! » Elle ajouta en croyant me parler à voix
basse alors que pas un seul de ses mots
n'échappait au barman : « Sois gentil, serre-lui
la main, je t'assure qu'il est vraiment aimable,
c'est un gentleman. » Je n'avais jamais entendu
Maman prononcer le mot gentleman. Je serrai
bien volontiers la main de l'imprimeur qui
n'était visiblement pas dans son état normal. Il
se présenta : « Pascal Robert, imprimeur en
Alsace. Pascal comme l'écrivain et Robert
comme le dictionnaire. » On sentait qu'il avait
dit cette phrase des centaines de fois. Je lui
demandai s'il avait lu les *Pensées* de Pascal. Il
bafouilla que Pascal l'intéressait plutôt sur les
billets de cinq cents francs. Il insista pour nous
offrir une tournée. Nous avions déjà trop bu
mais avant que j'aie eu le temps de refuser
Maman avait accepté : « Voyons, ce n'est pas
tous les soirs que tu sors ta vieille mère ! »
Vieille ! Ce n'est pas le mot qui convenait, elle
rayonnait ce soir. On a continué à discuter et à
boire, moi avec Delphine, Maman avec son
imprimeur qui, dès que nos verres étaient
vides, faisait signe au barman pour qu'il les

remplisse. Delphine eut la bonne idée de commander des hot-dogs. Je n'ai jamais été déçu par les hot-dogs du Harry's Bar. A côté de moi, Maman proposa à l'imprimeur de mordre dans son hot-dog, c'est là que j'ai compris que la situation dérapait. Ils avaient l'air de beaucoup s'amuser tous les deux, un peu trop à mes yeux. L'imprimeur avait un bras posé familièrement sur les épaules de ma mère et je fis remarquer à Delphine : « Tu ne trouves pas qu'il la serre de trop près ? » Je tendis l'oreille et j'entendis Pascal Robert dire à Maman : « Mon hôtel est tout près, venez avec moi, je vous invite. Débarrassez-vous de votre mari – c'était moi, le mari – et de votre fille – c'était Delphine, notre fille. » Ma mère protestait, disant que son mari était mort, que j'étais son fils, que Delphine et moi avions deux enfants. Il me montra du doigt : « Et lui alors, qui est-ce ? — Mais c'est François, c'est mon fils ! Et la jeune fille, c'est qui ? Mais je vous dis que c'est Delphine, la mère de mes petites-filles, Zoé et Woglinde. » Avec ce type qui me prenait pour le mari de ma mère et qui pensait que nous sortions notre grande fille, il était temps que je prenne les choses en main.

Il fallait rentrer dormir. Ma mère ne voulait rien entendre : « Qu'est-ce qu'il y aurait comme autre endroit ouvert dans le quartier ? » Pascal Robert intervint : « Venez, Marie, je vous emmène à mon hôtel, je ferai rouvrir le bar. C'est tout près d'ici. » Il appelait déjà ma mère par son prénom... Il sortit une carte de visite de sa poche et me la tendit : « Hôtel Edouard VII, 39 avenue de l'Opéra. » C'était tout près en effet. Delphine me prit à part : « Je suis fatiguée, rentrons, laisse ta mère mener sa vie. — Ce mec est complètement ivre, je ne peux pas laisser Maman partir avec lui. » Nous finîmes par quitter le bar, poussés dehors par le barman qui avait éteint la plupart des lumières et mis son manteau. Devant moi, ma mère et Pascal Robert marchaient bras dessus bras dessous en riant. Derrière moi, Delphine, qui avait moins bu que nous, ne souhaitait visiblement pas intervenir. Le concierge de nuit de l'hôtel regarda d'un air indifférent ces clients éméchés qui rentraient à l'aube. J'étais bien décidé à ne pas laisser ma mère entrer dans l'ascenseur et la tirai par le bras tandis que l'imprimeur essayait de se souvenir de son numéro de chambre pour récupé-

rer sa clef. Un vers de *Phèdre* me revint en
mémoire : « De l'austère pudeur les bornes
sont passées. » Je dis à ma mère, d'un ton que
je crus ferme, qu'il était l'heure de rentrer à la
maison. Je revois son regard déçu : « Mais
alors, et Pascal ? »

Plus tard, Delphine racontera cette histoire
devant moi à Suzanne, qui est sa meilleure
amie : « Cet ivrogne me prenait pour la fille
qu'auraient eue François et sa mère ! Tu aurais
dû voir François. Il ne supportait pas l'idée
que sa mère ait envie d'aller au lit avec un
inconnu. » Je protesterai : « Mais ils étaient
ivres tous les deux. J'ai surtout pensé au lendemain matin, le type se serait rendu compte que
Maman avait quinze ans de plus que lui et je
ne voulais pas qu'il puisse lui dire des choses
blessantes », à quoi Delphine rétorqua : « Ce
n'est pas la différence d'âge qui t'a le plus cho-
qué. Ce que tu n'as pas supporté, et ça je le
comprends, c'est de devoir penser à la sexua-
lité de ta mère. » Suzanne était d'accord avec
Delphine. Alors quoi ? Aurais-je dû m'éclipser
au lieu de suivre ma mère dans le hall de
l'hôtel pour la surveiller et la faire monter
ensuite dans un taxi comme un chat qu'on

43

force à entrer dans une cage ? Delphine, elle, restait persuadée que cet imprimeur n'aurait jamais fait de mal à une mouche et que j'avais peut-être été l'empêcheur d'une grande histoire d'amour, mais, sur la terrasse du prieuré, toutes mes sœurs m'approuvèrent.

Je fus quelqu'un d'assez prude. Dans les années soixante, je n'osais pas demander des Tampax devant d'autres clients dans une pharmacie, et la première fois que Delphine se mit à me masturber sous mon manteau dans un taxi, je faillis m'évanouir de peur autant que de plaisir... Elle me masturba aussi dans un train. Nous étions seuls dans le compartiment, elle avait tiré les rideaux qui donnaient sur le couloir et j'avais bégayé : « Mais si le contrôleur arrive ? – Eh bien, c'est ça qui est excitant. » Nous avions vingt-cinq ans. Depuis, j'ai découvert que je suis quelqu'un que les femmes ne détestent pas peloter dans des lieux publics, sous les tables des restaurants, dans des cabines téléphoniques, des salles d'attente, des voitures garées la nuit dans des rues peu passantes. Je suppose que ça arrive à tout le monde, bien que je n'aie jamais abordé ce sujet avec mes amis, par pudibonderie plutôt que par pudeur. Les exemples de pudibonderie foisonnent dans ma vie.

En août 1960, je venais d'avoir dix-neuf ans. Mon père m'annonça qu'il m'emmenait avec lui au festival de Venise. Je n'étais jamais allé à Venise ni dans un festival de cinéma. Nous partîmes de Provence dans la 2CV qu'il avait achetée avant les vacances. Une carte de l'Italie du Nord était ouverte sur mes genoux. Le premier soir, nous avions traversé Turin et dépassé Novara. Milan n'était plus qu'à une trentaine de kilomètres. Mon père décida que nous dormirions à l'hôtel. Je fus déçu. J'aimais dormir dans la voiture. Je proposai qu'on aille voir le Dôme. « Ah non ! Evitons le centre-ville. Il faut qu'on reparte tôt demain. On va chercher un hôtel pas trop loin de l'auto-route. » Le lendemain à l'aube, nous avons pris le petit déjeuner à la terrasse d'un café. Le soleil éclairait le mur de clôture d'un couvent de l'autre côté de la rue. Je fis observer à mon père que la lumière méritait d'être signée par Otello Martelli, le meilleur directeur de la photographie du cinéma italien, « ce qui, ajoutai-je pour l'épater, n'est pas gentil pour Giuseppe

Rotunno, un très grand directeur photo, lui aussi ». Je savais que mon père était bluffé quand je citais des noms de techniciens de cinéma. Sans la lumière, pensais-je, nous ne serions rien. La différence entre un grand film et un mauvais film n'a rien à voir avec le scénario ou la mise en scène : un grand film est d'abord un film bien éclairé.

Deux heures plus tard, après avoir aperçu le lac de Garde, nous approchions de Vérone Comme des bruits insolites dans le moteur nous inquiétaient, nous avons quitté l'*autostrada* à la recherche d'un garage. Nous approchions à nouveau d'une ville dont j'aurais tant voulu visiter le centre, mais c'est d'un garagiste que nous avions besoin et pas des fantômes de Roméo et Juliette. A ma plus grande stupeur, je m'aperçus que mon père regardait les femmes dans la rue. Je le surprenais en flagrant délit d'admiration d'anatomies féminines. Il avait à peine moins de retenue à Vérone que moi dans le quartier de la gare du Nord à Bruxelles quand je dévorais littéralement des yeux les entraîneuses m'aguichant dans leurs vitrines. Arrêté à un feu rouge, je le vis faire un panoramique droite-gauche pour

suivre du regard une jeune mère de famille
dont la plantureuse silhouette me parut digne,
en effet, d'une attention soutenue. La veille à
Milan, j'avais déjà soupçonné mon père de
traînasser à un feu vert pour reluquer avec
insistance deux ou trois piétonnes en robes
plutôt moulantes. Sur un ton hyper-sec, je lui
avais dit : « Eh bien alors ? Démarre ! » Pendant que ma mère repassait ses chemises en
prévision de son retour, il se permettait de
s'attarder sur les appas de quelques jolies
Véronaises. Ce grand catholique convoitait la
femme de son prochain ! Je fus soulagé quand
j'aperçus un garage. Nous n'aurions plus
affaire qu'à des mecs en salopette pleine de
cambouis. « La réparation prendra une
heure », avait estimé le mécanicien du garage
Fiat qui avait bien voulu se pencher sur un
moteur Citroën. « Je reste ici, va faire un tour
si tu veux », m'avait dit mon père. Il valait
mieux qu'il reste près de la 2CV. Dans les rues
du centre-ville, il aurait remis ça !

Il faisait très chaud. Je déambulai dans des
rues désertes. J'aperçus une jeune fille absolument gracieuse qui s'avançait vers moi.
Lorsqu'elle fut à ma hauteur, je ne comprends

47

toujours pas ce qui m'a pris, je lui demandai, dans mon italien approximatif, de me donner un baiser. Le miracle se produisit : elle m'embrassa sur la joue en rougissant. Elle m'embrassa une deuxième fois, très vite, sur les lèvres et s'éloigna sans se retourner. Avais-je eu l'air d'un fou ? M'avait-elle trouvé beau ? Avait-elle calculé qu'elle se débarrasserait plus vite de cet emmerdeur en lui faisant l'aumône du baiser qu'il réclamait ? Cinq ans plus tard, je racontais la scène à mon psychanalyste. D'après lui, cette demande de baisers était ma façon de réagir à la découverte tardive que je venais de faire : mon père avait des pulsions sexuelles. « Un beau cas de passage à l'acte ! Dans la ville de Roméo et Juliette ! Connaissiez-vous au moins la scène des baisers au premier acte de la pièce de Shakespeare ? Non ? Votre père la connaissait sûrement. Vous étiez pris dans la chaîne des signifiants... »

Au début de cette psychanalyse, dînant en tête à tête avec mes parents dans un restaurant chinois en bas de la rue Saint-Jacques, je fus tourmenté pendant tout le repas par des phrases que je ne parvenais pas à chasser de ma tête. « Si Papa pouvait mourir, je pourrais m'occuper de Maman, me disais-je sans me soucier de la façon dont réagirait la principale intéressée, il ne prend pas soin d'elle, moi je la sortirais dans les restaurants qu'elle mérite, je l'emmènerais en croisière. » J'avais vingt-quatre ans et je reconnais que c'était plutôt tardif comme réaction. La psychanalyse vous joue ce genre de tour dès que vous fouillez dans vos souvenirs d'enfance. J'étais en pleine régression et ne faisais que revivre tant bien que mal l'amour violent et possessif que j'avais dû ressentir pour ma mère quand j'étais un nourrisson – une interprétation simpliste que mon analyste n'aurait pas acceptée. Je ne m'étais pas assez détaché de mes parents et j'attendais peut-être encore qu'ils me punissent. Pour être puni par mon père, il fallait que je sois coupable et j'avais frappé fort en souhaitant qu'il meure. Il faut avoir été en analyse pour comprendre, sinon accepter, un raisonnement aussi tordu. D'une certaine façon, j'allais mieux à ce moment-là qu'aujourd'hui. Au moins, je m'attaquais à une autre personne que moi. A mon analyste, j'avais précisé : « Ma mère ne m'a jamais puni, elle ne s'est jamais emportée contre moi. »

Où en suis-je avec la chronologie? Les dates des éclipses totales ou partielles, des tremblements de terre et des passages de comètes sont très précieuses pour établir une chronologie sérieuse. Pour la mienne, c'est au figuré que j'envisagerais éclipses, comètes et tremblements de terre. La minute de soixante secondes fut inventée par les astronomes babyloniens, la semaine de sept jours vient des Hébreux et c'est aux Egyptiens que nous devons les noms de nos jours actuels. On ne m'a pas attendu pour être affolé par le temps qui passe et vouloir y mettre un semblant d'ordre. Dans l'Egypte des pharaons, l'année commençait le 29 août. Nous sommes début septembre, m'apprennent les journaux de ces jours-ci. Il y a un peu partout des attentats à la voiture piégée. Un ex-dictateur argentin est finalement arrêté pour enlèvements, tortures et homicides. Les sans-papiers d'une vingtaine de nationalités différentes qui occupaient la basilique Saint-Denis depuis deux semaines sont priés de déguerpir. A Paris, un détenu basque s'est fait remplacer par son frère pour s'évader de la prison de la Santé. A Toronto, un pape au bord de la tombe a essayé de

50

dégoûter deux cent mille jeunes de ce qu'il appelle « le plaisir éphémère et superficiel des sens ».

Ma mère qui a eu quatre-vingt-huit ans au début de l'été m'a téléphoné pour m'annoncer la mort de Lionel Hampton : « Il avait quatre-vingt-treize ans. Pour un homme c'est beaucoup. » Elle est devenue plus attentive à la nécrologie qu'à la chronologie. Elle le dit elle-même : « Ce sera bientôt mon tour. » Elle m'a rappelé qu'elle m'avait emmené dans les années cinquante à un concert de Lionel Hampton et qu'ensuite j'avais voulu prendre des cours de vibraphone. J'ai des disques de Lionel Hampton quelque part. Je pourrais en écouter un.

Nous sommes le mardi 3 septembre 2002, je viens de vérifier, fête de saint Grégoire, le pape qui a donné son nom au chant grégorien. Il y a quelques jours, aux Philippines, un groupe islamiste a décapité deux otages, des représentants de commerce qui étaient aussi des témoins de Jéhovah. On a retrouvé leurs têtes dans des sacs-poubelles.

Nous sommes le lendemain du jour où Delphine m'a signalé que je fais peur à tout le monde, et hier soir (fête de sainte Ingrid, un prénom que j'ai souvent prononcé jadis), quand je lui ai dit que cette phrase pourrait me fournir un bon début de roman, elle ne fut pas d'accord : « Arrête de te précipiter sur la moindre de mes phrases. Ce n'est pas que tu fais peur à tout le monde, c'est que tout le monde a peur pour toi. » Elle ajouta : « Tu inquiètes les gens qui t'aiment », un autre bon début de roman, pensai-je.

## 2

Il faudrait que je termine au moins un des livres que mes éditeurs attendent, celui sur la danse (où je parle de Socrate qui, dans le *Banquet* de Xénophon, veut apprendre à danser), un roman d'amour qui se passe sous le Second Empire, un texte sur Husserl et Descartes (qui deviendra sûrement autre chose), un recueil de tous les articles que j'ai publiés, un essai sur les quatuors de Beethoven (je dois beaucoup au livre de Joseph Kerman), *Coucheries* bien sûr et mon livre sur les volcans. Je vais finir par être un problème pour mes éditeurs pourtant si patients. Dans le livre sur les volcans, je décrirai les cadavres éjectés des tombes par une secousse sismique. Les corps fraîchement enterrés sont mêlés aux squelettes et lancés avec force dans le ciel comme le bouquet final d'un feu d'artifice macabre. Je décrirai aussi des familles de villageois rattrapées les unes après les autres par une coulée de lave de cent mètres de haut. Je pourrais commencer par raconter la destruction de Callao — le port péruvien où Tintin, dans *Le Temple du Soleil*, débarquera deux siècles plus tard —, ce raz de marée si violent qu'il projeta une dizaine de navires par-dessus les quais. Les bateaux passèrent dans le ciel comme d'énormes oiseaux migrateurs, pendant que le tocsin sonnait. Ils furent retrouvés des kilomètres plus loin, à l'intérieur des terres. Le vol plané de ces frégates espagnoles relève-t-il des effets spéciaux ou de la littérature ?

Le contrat pour le livre sur les volcans fut plus amusant à signer que son sujet. Deux heures plus tôt, je n'y pensais même pas. C'était en février de l'année dernière, pendant le Salon du Livre. Je me suis retrouvé au bar de l'hôtel Costes avec trois éditeurs italiens et un couple de libraires venus de Barcelone. Ils parlaient tous un français impeccable. On aurait dû commander directement des bouteilles de champagne, ce serait moins cher que toutes ces

flûtes, avais-je dit. « Mais notre ravissante ser-
veuse a été si gentille, elle venait vers notre
table comme si elle défilait pour un grand cou-
turier et si nous avions commandé des bouteilles nous l'aurions vue moins souvent », 
conclut l'Espagnol qui paya la note et qui
n'était pas un libraire de Barcelone mais un éditeur de Madrid. Il avait demandé du papier à
lettres et, assis à une table voisine, il s'était mis à
écrire. « Tu commences tes Mémoires ? » lui
avait demandé sa femme. A deux heures du
matin, il rédigeait mon contrat.

En souvenir de cette soirée sensationnelle,
ils voulurent tous mettre leur signature sous la
mienne mais seul l'éditeur espagnol signa
ensuite un chèque. Je dus avoir l'air dépité en
découvrant que c'était un eurochèque émis sur
une banque de Zurich. « Je vous assure qu'il y
a longtemps que je n'ai pas consenti un
à-valoir de cette importance », dit mon nouvel
éditeur devant mon désappointement, alors
que je venais juste de penser que mon compte
serait moins rapidement crédité avec un eurochèque. Un des Italiens me taquina : « C'est
déjà l'angoisse de la page blanche ! » Je souris
pour lui laisser croire qu'il avait raison.

Comment les avais-je enthousiasmés au point de signer un contrat en parlant de volcans ? Un des Italiens avait commencé par évoquer le Vésuve ou l'Etna. Un autre revenait des îles Lipari. Je me suis lancé dans un éloge des vignobles plantés sur les sols volcaniques : « Le vin des îles Lipari, justement, est le vin le plus oriental d'Italie. Il faut le boire en fermant les yeux. On voit des odalisques ! » J'ai beaucoup parlé, c'était à peine poli mais je voyais mon auditoire sous le charme. Je leur ai raconté l'histoire du tournage de *Stromboli*, le film de Rossellini avec Ingrid Bergman dont ils ne connaissaient que le titre. A Hollywood, personne n'avait compris qu'une star comme Ingrid Bergman puisse refuser des ponts d'or pour tourner sur un volcan dans le film d'un Italien qui n'avait pas la moindre idée de ce qu'étaient un budget ni un plan de travail. Sans compter qu'elle laissait tomber sa fille et son mari ! Rossellini avait écrit le rôle pour Anna Magnani qui était sa compagne. Il le donna sans se poser de questions à Ingrid Bergman quand il tomba amoureux d'elle. Lorsque Magnani l'apprit, elle lui jeta un plat de pâtes à la figure en plein restaurant et elle décida de jouer elle aussi dans un film qui se passerait sur un volcan. Ce fut *Vulcano*, tourné sur une autre des îles Lipari, à deux heures de bateau de celle de Stromboli. «Un bon titre pour votre livre, *Volcano*!» Je fus d'accord. C'est le titre provisoire qui figure sur le contrat.

Dans ce livre, le plus inattendu de mes projets, je ne compte pas y aller par quatre chemins, mais j'adopterai le ton paisible et froid des collaborateurs de la *Géographie universelle* de Vidal de la Blache. Je donnerai libre cours à mes pulsions sadiques, à mon désir violent de faire disparaître ceux qui me dérangent et m'empêchent de faire ce que je veux, comme, pas plus tard que cet après-midi, le gosse qui apprend à jouer de la batterie dans mon immeuble, lui et sa mère béate d'admiration devant ce fils unique qu'elle prend déjà pour Kenny Clarke et Art Blakey réunis. Pour peu que ce gosse ait un copain qui rapplique avec des congas et des wood-blocks, que vais-je devenir, que va devenir mon travail? Les percussions, d'accord, mais en plein air et aux Caraïbes! Je n'aimerai jamais mon prochain comme moi-même et je ne ferai pas d'exception pour ce gamin de dix ans que je salue

57

aimablement, cela dit, quand je le croise dans l'escalier. Je n'irai pas jusqu'à souhaiter qu'il disparaisse dans un tremblement de terre – il me rappelle trop le petit garçon que je fus moi-même – mais au moins qu'il déménage! Je l'aiderai à transporter ses timbales et ses gongs. Qu'il emmène avec lui le professeur de musique qui lui a déjà enfoncé dans le crâne les sornettes habituelles sur le rythme et l'énergie vitale. La bonne solution serait d'amadouer sa mère, une jeune femme au visage intéressant, et de la convaincre de faire de son fils un grand peintre. Le glissement silencieux d'un pinceau sur la toile serait libérateur d'énergie, lui aussi.

Plaire à cette femme sera difficile après lui avoir dit en face sur un ton désagréable que son gosse me dérange considérablement. Je m'étais levé en début d'après-midi, prêt à travailler, quand le futur virtuose s'élança à la recherche de sa ration d'énergie cosmique. Son récital dura de quinze à dix-huit heures. J'eus droit à une reprise vers vingt heures : Art Blakey au cinquième étage initiait l'immeuble aux rythmes rapides de l'Afrique de l'Ouest. Mes horaires vont-ils dépendre de ceux de ce

gosse ? Et s'il n'y avait que lui ! Trois autres
adolescents se déchaînent dans la cour, sous
ma fenêtre, en rentrant de l'école. Eux, leur
truc, c'est le foot. Et ça shoote, et ça inter-
cepte, et ça hurle, et ça marque des buts. Ce
n'est pas de gaieté de cœur que nous avions
emménagé dans cet appartement sur cour. Ce
qui nous décida, oserai-je le dire, c'était le
calme.

Après avoir signé le bail, j'avais même
déclaré à Delphine : « Ne t'inquiète pas, on ne
restera pas longtemps, juste le temps que
j'écrive mon prochain roman. » Nous n'avons
même pas déballé tous les cartons. Nous quit-
tions un appartement où nous avions vu gran-
dir nos deux filles, un grand appartement avec
cinq portes-fenêtres donnant sur un balcon en
fer forgé, sur des arbres, sur le ciel.
Aujourd'hui, j'en viens à regretter l'homme
qui, sur le balcon voisin, installait des haut-
parleurs au beau milieu de la nuit, montait le
son à la limite du couac et pleurait à chaudes
larmes en forçant toute la rue à écouter l'inté-
grale des symphonies de Tchaïkovski. Il pleurait plus fort pendant les mouvements lents et
se surpassait à la fin de la *Sixième Symphonie*,

allant jusqu'aux gémissements et m'aidant à comprendre pourquoi on la surnomme *Pathétique*. La police intervenait de temps à autre. Les haut-parleurs étaient aussitôt débranchés. Je dus faire l'acquisition d'un casque afin d'écouter les musiques de mon choix pendant ces concerts nocturnes. J'en fis l'éloge à mon voisin et proposai de lui en offrir un, mais lui, c'était réveiller les habitants de la rue qui l'intéressait. C'était un homme taciturne d'une cinquantaine d'années qui savait que j'écrivais et avec qui, d'un balcon à l'autre, j'avais eu une conversation passionnante sur Léon Bloy. Un jour, il fut emmené par une ambulance. On n'entendit plus parler de lui. Quelques semaines plus tard, un jeune couple flanqué d'un gamin braillard installa des géraniums sur le balcon à la place des haut-parleurs.

« Je termine mon roman et on déménage de nouveau », avais-je annoncé. Le terminer ? Il s'agissait d'abord de le commencer. Résultat : voilà cinq ans que nous sommes là. Voilà cinq ans que je n'ai rien publié. Les enfants de l'immeuble ont grandi et abandonné leurs hochets pour le sifflet d'arbitre et les maracas. « En Afrique, on dit qu'un village sans musique est un village mort », m'a répondu la mère d'Art Blakey. Qu'elle aille donc piler du manioc dans un village africain, pour voir, au lieu de faire ses courses chez Lafayette Gourmet. Apprendra-t-elle à son fils que la musique, chez les Dogons par exemple, encourage le rapprochement sexuel ?

Comme s'il suffisait de déménager pour aller mieux ! Dans ce nouvel appartement, j'ai posé une planche sur deux tréteaux et j'ai décidé que j'allais écrire une dizaine de pages par jour. Avec Delphine, nous sommes allés choisir une nouvelle cuisinière, un nouveau réfrigérateur et de la vaisselle chez Kitchen Bazaar, Habitat, Bodum, Darty et Dehillerin. Nous fûmes des quinquagénaires jouant aux jeunes mariés. Nous avions été à deux doigts de nous séparer quelques mois plus tôt. J'avais, sous prétexte d'écrire dans le calme, loué un studio où venait me rendre visite une jeune femme qui restait parfois la nuit. Delphine, au lieu de comprendre que cette histoire ne durerait pas, avait imaginé le contraire, et pour être honnête je dois avouer que moi aussi. Que n'avait-elle lu, dans le *Yoga de la compassion*, le témoignage d'un fonctionnaire de

Taiwan racontant comment sa mère, après vingt ans de vie conjugale, n'avait pas hésité à choisir elle-même deux jeunes et charmantes concubines pour son mari, un récit dont seul le début est édifiant. Ensuite le mari tomba amoureux d'une des concubines tout en continuant de forniquer avec l'autre, et sa femme mourut de chagrin au bout de quelques mois. « La seule souffrance de mon père, conclut le fils, ne fut pas que ma mère soit morte mais que l'observance des rites de deuil l'ait empêché pendant quelques semaines de faire l'amour avec ses concubines. »

Trois mois plus tard, un dimanche de printemps, Delphine m'aida à vider le studio des livres que j'y avais accumulés et de quelques vêtements qui ne m'allaient pas du tout, dit-elle sans me croire – avec raison – quand je lui jurai que je les avais achetés seul, notamment un peignoir en tissu éponge couleur corail, si laid qu'il était évident que je n'avais pu l'acheter que dans un moment de grande solitude et de profonde détresse.

Pendant ces trois mois, je découvris en Delphine une prima donna de la dispute, mais ce n'était rien par rapport à ce qui nous attendait deux ans plus tard quand je rentrai de Bruxelles où j'avais rencontré Katlijne, une Hollandaise qui voulut jouer avec moi à « La Femme et le Pantin ». J'aurais dû recourir aux talismans taoïstes qu'on appelle des *fu*. J'avais failli en acheter un dans une vieille pharmacie chinoise à Osaka. Ce sont des formules magiques calligraphiées sur de larges bandes de papier. Celui qu'on m'avait montré supprimait les disputes dans le couple et rétablissait l'harmonie sexuelle. Il faut le placer pendant trois jours dans l'oreiller de sa partenaire sans qu'elle le sache, puis le brûler et boire les cendres mêlées à un thé blanc uniquement constitué de bourgeons. On doit en trouver à Paris. Je suis sûr qu'il y a des prêtres taoïstes en pagaille dans les restaurants chinois du côté de la Porte de Choisy. Je suis parfois si désemparé que j'ai envie de croire à n'importe quoi. Je suis allé acheter des pièces d'or après avoir lu qu'en les serrant dans la main on était plus apte à prendre des décisions. Ça n'a rien donné. J'ai gardé les pièces.

Dans *Volcano*, je mentionnerai un film dont Zoé garda longtemps une photo punaisée au mur de sa chambre, *Le Jour de la fin du monde*. Je

n'ai pas vu ce film mais j'utiliserai une note
écrite par Zoé, lycéenne de quatorze ans à
l'époque. Elle collait dans un cahier des
articles et les publicités des films qu'elle aimait
et ajoutait un commentaire de son cru. Pour
*Le Jour de la fin du monde*, elle avait écrit :
« Etant donné que j'adore Paul Newman, je ne
peux qu'aimer ce film. Tout commence à
cause d'une éruption volcanique. J'aime les
films catastrophes. Les autres acteurs ne sont
pas mal (William Holden, Jacqueline Bisset). »
Le texte est plutôt succinct mais j'interviewerai
Zoé. Dès qu'il y a une adolescente dans un de
mes romans, je me renseigne auprès de mes
filles. Je prends des notes. Zoé m'a confié
qu'elle enfilait deux jeans l'un sur l'autre pour
avoir des fesses plus moulées, pour avoir l'air
plus serrée dans son jean quand elle allait au
lycée : « Je rêvais d'être petite et grosse. J'étais
trop maigre et j'en avais marre qu'on me
traite de grande perche. A onze ans, j'étais
complexée par mes seins. J'ai eu mes règles à
onze ans ! C'est arrivé dans un McDonald's.
Normalement on aurait dû aller voir un film
de Mel Brooks avec Céline. Je suis sortie des
toilettes en criant. Maman m'avait demandé, le

jour où je rencontrerais un garçon, de le lui dire. Alors, à douze ans, je lui ai demandé si je pouvais prendre la pilule parce que j'étais amoureuse d'un garçon et que je voulais coucher avec lui, mais je me suis fait drôlement rembarrer. Et le jour où j'ai volé au Monoprix! J'avais une copine, Marie-Pierre, qui volait tout en double, un pour moi, un pour elle, des soutiens-gorge, des maquillages. La première fois que je l'ai accompagnée, je me suis fait attraper par un vigile qui m'a fait vachement mal. Il m'a traînée directement au commissariat. Ma trouille, c'était qu'on prévienne l'école, la honte si on apprenait à l'école que j'avais volé! Maman est venue me chercher. » Je relis d'autres notes : « Quand je lui ai annoncé au téléphone que j'avais couché pour la première fois avec un garçon, elle s'est mise à pleurer. » Delphine aurait pleuré? Je n'avais pas fait attention à la flèche qui reliait cette anecdote à Céline, la meilleure amie de Zoé. La seule fois où nous avons envoyé les deux filles en colonie – c'est dans mes notes –, elles nous écrivaient : « Je veux rentrer » mais le courrier était surveillé et on les obligeait à recommencer la lettre qui devait impérativement se terminer par « Tout va bien ». Je crois que j'ai déjà évoqué cette colonie de vacances dans un roman.

Dans *Volcano*, il y aura des tremblements de terre, des incendies, des meurtres, des inondations, des horreurs, mais je dois d'abord finir le roman sur ma mère. Ensuite il sera toujours temps de voir si ces histoires de séismes et de déjections volcaniques valent la peine d'en faire un livre, bien qu'elles aient déjà valu la peine d'encaisser un chèque qui apaisa le Trésor public. Je me suis trouvé dans la même situation il y a cinq ans. J'hésitais entre un roman que j'aurais adoré écrire, des récits de coucheries diverses (*Coucheries* était l'excellent titre que j'envisageais), et le roman que je m'étais juré d'écrire, inspiré par mes rapports avec mon père, des rapports sans doute plus intenses et plus viscéraux que ceux que j'ai connus avec les femmes qui ont eu envie de coucher avec moi. Qu'il s'agisse de mon père ou de ma mère, on dirait que j'essaie de me défiler. *Volcano* me permettrait de laisser libre cours à mon sadisme, alors que je ne tiens pas à l'exercer contre ma mère. Avec mon père, c'était le contraire : j'avais davantage de comptes à régler avec lui qu'avec mes amoureuses. Et si je renversais ces deux équations ? Ai-je reculé devant le livre sur mon père parce que je ne voulais pas qu'on aille croire que je l'ai plus aimé qu'aucune femme ? Et ma mère, ne serait-ce pas elle, le vrai volcan dans ma vie ? Lui ai-je jamais pardonné de s'être débarrassée de moi en m'envoyant à l'école ? Le jour de ma première rentrée des classes (je n'avais pas fréquenté les jardins d'enfants et autres maternelles), je fus abasourdi quand je compris qu'elle n'allait pas suivre les cours assise à mes côtés. Elle resterait à la porte ! Elle n'entrerait pas ! Elle ne m'avait pas prévenu. Elle m'avait dit : « J'irai avec toi à l'école. » Quand elle m'emmenait au parc, elle y restait et on jouait ensemble. Je m'en suis vite remis grâce à Mère Marie-Emma qui me fit aimer les cahiers, l'orthographe et les conjugaisons.

Ce que j'aimais par-dessus tout, c'était aller au cinéma avec ma mère, mais il fallait d'abord que mon père ait vu le film et donne son feu vert. Il n'a jamais su que le film qui m'a le plus effrayé de toute ma vie, je l'ai vu à huit ans avec l'école et c'était un Laurel et Hardy où des poissons volants entrent dans une chambre, soulèvent le drap de lit et deviennent des fantômes.

Dire qu'il y a des gens qui détestent leur mère, qui ne lui adressent plus la parole, parfois depuis des années! Quand ils étaient petits, ont-ils cru qu'ils avaient été expulsés comme un excrément, par l'anus? Si elle est morte, ils se déchaînent, fils ou fille. Leur mère les aurait empêchés de faire ceci, de devenir cela. On tombe dans l'*exsecratio* des Romains. Faire des reproches à quelqu'un est une activité si agréable, et, pour peu qu'on connaisse bien la personne, c'est du gâteau. C'est une façon d'exorciser l'amour qu'on lui porte. Sinon, ce serait suffocant. Je veux bien, mais ce n'est pas mon genre. Ma mère, par exemple, je sais qu'elle ne me jouera jamais un tour de cochon, à part peut-être cette histoire d'école, mais il y a prescription (c'est dix ans pour les crimes).

Et si j'écrivais en vitesse ce livre sur les volcans? Il y a des choses qu'il faut faire très vite. Je pourrais m'y mettre tout de suite et le finir avant Noël. Il sortirait en janvier. J'irais passer Noël en Provence chez ma mère, je lui allumerais de grands feux de bois dans la cheminée, ce qu'elle ne fait plus quand elle est seule. Je lui poserais beaucoup de questions, je rentrerais au début de l'année prochaine avec des cahiers remplis de notes et hop! *Trois jours chez ma mère* serait fini en juin et paraîtrait en septembre.

Je viens de regarder à « projet » dans mes dictionnaires. Voici le premier exemple donné par le Petit Robert : « Faire des projets au lieu d'agir. » Littré cite Molière : « Et le chemin est long du projet à la chose. » Eh bien les gars, merci pour votre aide. Je dispose de combien de temps pour écrire *Volcano* ? On est quel jour ? Mercredi 23 octobre 2002, fête de saint Jean de Capistran, un saint dont ne se souviennent que les éditeurs d'agendas : il est mentionné dans celui dont je me sers, mon agenda de 1994 (il suffit de savoir que les dimanches d'alors sont devenus cette année des mercredis). La vie de saint Jean de Capistran est digne d'une superproduction. Aux côtés du voïvode de Transylvanie, ce franciscain italien participa à la défense de Belgrade contre le sultan ottoman Mahomet II, un sujet d'actualité au moment où l'adhésion de la Turquie à l'Union européenne pose des problèmes. Cet été, les Turcs ont aboli la peine de

mort, c'est déjà ça. L'autre jour, Jean-Paul II
ne s'est pas gêné pour canoniser le fondateur
de l'Opus Dei, un saint que l'Eglise fêtera sans
doute le jour anniversaire de la mort de
Franco. Une voiture piégée a explosé sur l'île
de Bali : presque deux cents morts dans une
boîte de nuit, surtout des touristes australiens.
Les hommes politiques français sont découra-
geants. A droite, ils déclarent sans rire qu'ils
vont inventer une démocratie exemplaire, à
gauche ils se satisferaient d'un réformisme de
gauche soutenu par une espérance de gauche.
Les Verts proposent un parti unique qui
s'appellerait la Grande Gauche et l'UDF dit :
« Il faut que notre parti soit attirant. » Un
secrétaire d'Etat se fait fort de permettre la
création d'un million d'entreprises en cinq ans.
J'ai relu deux fois ce chiffre, sans doute une
erreur du journal. On m'a invité au sommet de
la francophonie à Beyrouth, que serais-je allé
faire là-bas ? Je viens d'apprendre à la radio
qu'un commando de Tchétchènes a pris en
otage des centaines de spectateurs dans un
théâtre de Moscou et fera sauter le théâtre si la
police intervient.

Il m'est arrivé quelque chose d'inquiétant
la nuit dernière. J'avais l'impression qu'on

m'étranglait. Je tombais dans le vide tout en sachant bien que je ne tombais pas. J'ai immédiatement pensé à une hémorragie cérébrale. J'étais persuadé que j'allais mourir. J'ai souvent pensé que j'allais mourir mais cette fois j'en étais sûr, j'allais y passer. Impossible d'ouvrir les yeux. J'étouffais. Je n'osais pas me toucher la tête, persuadé que mes tempes et mon front se briseraient comme du verre. J'imaginais mon crâne rempli d'une eau boueuse et tiède dans laquelle grouillaient des dizaines d'insectes. Je croyais voir leurs abdomens velus, leurs têtes luisantes, leurs petits yeux rouge sang. Je ne savais plus où je me trouvais. Je finis par oser ouvrir les yeux. Je compris que j'étais chez moi. Je m'étais endormi tout habillé sur ma chaise. Il faut être au bout du rouleau pour s'endormir sur une chaise.

Je n'arrivais pas à me défaire de ces images d'insectes bruyants pataugeant dans ma tête. Leur vision m'avait rappelé l'enfer musical peint par Jérôme Bosch, où un homme essaie d'enlever une flûte enfoncée dans son anus et un autre se trouve embroché sur les cordes métalliques d'une harpe géante. J'ai écrit un

71

livre sur Jérôme Bosch. Heureux temps où j'allais voir les tableaux de Bosch à Vienne, à Madrid, à Lisbonne, à Rotterdam et où les enfers et les jugements derniers restaient dans les musées au lieu d'envahir mon cerveau!

Je n'en peux plus. C'est pire de jour en jour. Avant, j'allais déjà plutôt mal, même si je n'avais pas encore affaire à ce que les psychiatres appellent le destin inexorable du mélancolique. Aujourd'hui, je suis en plein dedans. «Mélancolique» est un mot trop faible, mais je suis d'accord avec «destin inexorable». Je me contenterais d'expressions plus modestes, dans le genre «vie épouvantable». A mon âge, je ne possède rien, je n'ai même pas été capable d'acheter une maison de campagne comme mes amis. Toutes mes sœurs sont propriétaires, ma mère aussi. En mourant, mon père lui a laissé une maison. Je me suis mis sur le dos un loyer que je n'arrive plus à payer. Je ne vois pratiquement plus personne. Je croule sous les dettes et je fais comme si tout allait bien! Je suppose que ça doit quand même me ronger. Je ne parle plus. En même temps, tout ce qui m'arrive m'intéresse. La visite d'un huissier, par exemple,

72

me passionne, je pense instantanément au chapitre que je pourrai en tirer. Un chapitre, c'est peut-être immérité, disons un paragraphe. Voilà deux mois que j'attends le coup de sonnette de l'huissier du Trésor public. Pourquoi ne vient-il pas ? Quand on sonne à la porte, ce sont des gens qui se trompent d'étage.

Comment avais-je pu m'endormir sur cette chaise alors que j'écoutais de la musique au casque, à un volume sonore que j'avais pris soin d'exagérer pour ne pas m'endormir ? Comment avais-je pu, même quelques secondes, confondre avec un bocal rempli d'insectes répugnants le casque professionnel qui, sur une photo prise au flash par Delphine, me donne l'air absorbé d'un technicien de Cap Canaveral dialoguant avec un cosmonaute ?

Quelle heure pouvait-il être ? Ma montre avait dû rester dans la salle de bain. J'entendis le concierge sortir les poubelles, comme chaque jour à six heures moins le quart du matin, à croire que ce concierge est réglé comme une horloge à quartz. Son tapage matinal m'a toujours exaspéré sauf ce matin-là où il me fournit un repère familier et dissipa ma

73

crainte d'une amnésie globale. J'avais tout de suite identifié le bruit des poubelles, mais je n'arrivais pas à me souvenir du disque que j'écoutais. L'oubli de certains faits récents n'est jamais un bon signe. Etait-ce du piano ? Du clavecin ? Il ne fallait pas que je triche et que je regarde autour de moi pour retrouver le boîtier du CD. Le mot « amnésie » barrait le passage au reste de mon vocabulaire et m'empêchait de me souvenir. Les troubles de la mémoire sont la forme la plus courante des débuts de démence. L'ictus amnésique peut frapper les sujets dès cinquante ans. Après « ictus » (un beau mot latin, *ictus fulminis* : coup de tonnerre), d'autres mots réussirent à se frayer un chemin dans mon cerveau, mais quels mots ! « Maladie dégénérative du cervelet », « paralysie des nerfs crâniens », « la trépanation est de toute façon nécessaire »... Ma mémoire ne se portait pas si mal. Je lis trop de livres de médecine. J'en achète régulièrement chez Maloine, la librairie médicale dont je ressors toujours en me précipitant dans le premier bistrot venu pour reprendre mes esprits à l'aide d'un ou deux verres d'alcool après avoir feuilleté des albums de photos en couleurs qui sont à la limite de l'insoutenable. « Mais qu'est-ce que tu vas faire là ? » disent mes amis. Je suis romancier, je me préoccupe de la santé de mes personnages. Pour mon plaisir, j'irais plutôt rue Réaumur à la Librairie Musicale de Paris où j'achète des partitions qui me permettent de mieux écouter les musiques que j'aime. J'aime regarder les fac-similés de partitions autographes, les *Variations Goldberg* par exemple.

Je suis retourné chez Maloine pour ce prochain roman dont j'ai trouvé le titre avant de commencer à l'écrire : « Trois jours chez ma mère ». J'ai besoin de créer un personnage de femme âgée, une mère fictive qui sera celle du narrateur et non la mienne. Je suis devenu assez calé sur l'incontinence urinaire des personnes âgées et sur les détériorations mentales de la sénilité, des maladies heureusement épargnées à ma chère Maman. J'ai laissé de côté des livres comme *Le Couple, sa vie, sa mort* ou *Vieillir, projet de vie commune*. Dans mon roman, la mère sera veuve. Elle n'aura pas à affronter les horreurs de la conjugopathie, un mot que je connais depuis peu et qui est tout un programme. Ces lectures déprimantes ont un avantage que je n'avais pas prévu, elles me renseignent sur ce qui m'attend et qui ne sera pas la dolce vita. Mes ennuis d'argent, ce n'est rien à côté.

La semaine dernière, j'étais convoqué par les gens des impôts. Ils ferment à seize heures. J'ai dû me lever plus tôt que d'habitude. C'était le 14, le jour de la Saint-Juste. Je ne sais plus si Juste est le prénom de Bouvard ou de Pécuchet. L'autre s'appelle François. Ils ont quarante-sept ans tous les deux. De ce livre, je ne connais par cœur que la première phrase : « Comme il faisait une chaleur de trente-trois degrés, le boulevard Bourdon se trouvait absolument désert. » Je connais aussi : « Deux hommes parurent. L'un venait de la Bastille, l'autre du Jardin des Plantes. » Il y a longtemps que je ne suis pas allé au Jardin des Plantes. Je ne sors plus. Je devrais. Je suis un jour allé à une fête dans un grand appartement du boulevard Bourdon. Personne n'y avait jamais entendu parler de *Bouvard et Pécuchet*. Il y avait une jeune styliste danoise aux yeux bleu pervenche à qui j'ai commencé à faire du gringue en lui parlant des films de Carl Dreyer. Elle ne savait pas qui c'était. Je n'ai pas osé prononcer le nom de Kierkegaard, je me suis rabattu sur Andersen, du coup j'ai dû lui paraître immature, ce que j'étais peut-être, mais pour d'autres raisons. Je n'ai aucune notion du temps ni de mon âge. Je me souviens d'une histoire que j'ai eue à Montréal avec une jeune femme qui m'a dit au restaurant : « Arrête de m'embrasser comme ça, si tu continues je vais t'appeler Papa devant le serveur. » Après quelques baisers et quelques caresses à même le dos sous ma chemise, une autre jeune fille m'a dit il n'y a pas longtemps : « Tu as l'âge d'être mon grand-père. » Ce n'était pas la Danoise du boulevard Bourdon, mais elle aussi, j'avais l'âge d'être son grand-père. La fille qui m'a reçu aux impôts, c'était pareil. Jusqu'à présent, aux impôts, j'étais reçu par des mères de famille qui plaçaient bien en vue sur leur bureau les photos de leurs bambins. Le jour de la Saint-Juste, ce fut très différent. Je fus délesté de mon argent et comme nous n'étions pas loin de la Comédie-Française j'étais prêt à réciter une tirade de *L'Avare* : « Hélas ! Mon pauvre argent, mon cher ami ! On m'a privé de toi ! » La fille me paraissait capable de trouver ça drôle. Cette visite m'a fait écrire une page que je mettrai dans un de mes livres, je verrai plus tard lequel :

« Une jeune femme qui portait une mini-robe moulante, zippée dans le dos, et qu'il avait d'abord prise pour une contribuable aux abois comme lui, lui avait demandé de la suivre dans un bureau surchauffé et aussi nu qu'un parloir de prison. Elle avait ouvert le dossier qu'elle tenait à la main et il avait reconnu sa dernière lettre : il l'aurait soignée davantage s'il avait su qu'elle tomberait sous les yeux d'une lectrice aussi ravissante. La jeune employée du ministère de l'Economie lui annonça qu'ils allaient remplir ensemble le formulaire "Octroi de délais de paiement". Elle lui demanda de faire tout de suite un chèque : "Au moins mille cinq cents euros." Dix mille francs ! Quand elle se pencha vers lui : "Vous avez apporté votre chéquier, je suppose ?", il s'aperçut qu'elle ne portait pas de soutien-gorge sous le décolleté pigeonnant d'une robe qui ressemblait plutôt à un maillot de bain. Il rata un premier chèque qu'il déchira aussitôt et qu'il fit disparaître dans la poche

78

droite d'un superbe pantalon de velours acheté
quelques jours plus tôt. Il était si troublé qu'au
moment de remplir l'ordre, au lieu d'écrire
" Trésor public ", il avait commencé d'écrire
" seins triomphants ". Il était temps qu'il se
reprenne. Ils n'étaient pas tous les deux dans
un recoin du bar du Lutétia en train d'attendre
l'impulsion qui les ferait se jeter dans les bras
l'un de l'autre. Ils étaient dans un bureau qui
dépendait de la Direction générale de la
Comptabilité publique. Il appela à la rescousse
l'imperturbable Kant dont il avait récemment
relu quelques pages pour les besoins du roman
qu'il écrivait. Kant n'était pas homme à se laisser impressionner par une absence de soutien-
gorge et, dans sa *Critique de la faculté de juger*, il
s'interroge sur les mécanismes mentaux qui
font dire : " Voici une belle femme. " Eh bien,
d'après lui, il n'y a rien d'autre à penser que
ceci : Dans la forme féminine – ce n'est jamais
Kant qui vous parlera de formes généreuses
ou voluptueuses –, la nature représente d'une
belle manière les fins de la constitution féminine. Il conseille de s'appuyer sur un concept,
afin que l'objet soit pensé par un jugement
esthétique logiquement conditionné. Com-

79

ment adopter un point de vue logiquement
conditionné quand on rate un chèque parce
qu'on regarde des seins, professeur Kant? La
belle trésorière, un objet? Son cou, ses épaules
quasiment nues, des concepts? Une belle
femme en tout cas, qui proposa à son contribuable de clôturer le dossier en cinq verse-
ments mensuels (il pensait en obtenir dix, il
n'osa rien dire, il aurait dit oui à tout ce qu'elle
lui aurait proposé). Elle se leva : " Je vais faire
signer ça à mon mec. " Patatras! Elle couchait
avec le comptable du Trésor. Quand elle dis-
parut en laissant dans le bureau une odeur de
jasmin et de tubéreuse, il réalisa qu'elle avait
dit : " Je vais faire signer ça à mon chef. " Elle
avait de jolis yeux, une jolie voix, un joli rouge
à lèvres, une jolie robe, une jolie poitrine, une
jolie écriture et – il venait de la faire rire – un
joli rire. Peut-être aussi un joli mari et deux
jolis enfants, une jolie petite fille et un joli petit
garçon. »

J'ai signé l'échéancier en sachant bien que,
dès le mois prochain, je ne pourrai pas le res-
pecter. Elle s'en doutait puisqu'elle m'a dit :
« Si vous avez un problème, appelez-moi. »
Dans la rue, je me suis répété son prénom.

Elle s'appelle Claire-Marie. Est-ce que ses parents la surnommaient Clarinette? Ou Marionnette? Elle est bretonne et elle vient d'être nommée à Paris. Je lui enverrai mon prochain livre dès qu'il paraîtra. Hélas, je l'aurai sûrement revue avant.

Je rapportai à Delphine les fleurs que son prénom me fait choisir dès que j'en vois, un bouquet de delphiniums pourpres et rose pâle : « C'est pour toi! Les delphiniums d'automne sont plus que d'autres exquis. » Nous avons parlé du jardin qui entourera la maison de campagne que je rêve de lui offrir, un jardin abrité des vents, riche en humus, planté d'arbres. Les delphiniums y fleuriront deux fois par an. Je m'imagine souvent en train de verser des arrhes à une agence immobilière et, comme dans un film en cinémascope des années cinquante, je dis à Delphine : « Voilà les clefs de notre maison! » Je voudrais la voir heureuse. La rendre heureuse? Là, je me débrouille comme un manche. Elle me dit, m'écrit tant de choses gracieuses alors que je ressasse les phrases qui lui échappent dans les moments où son désarroi est plus fort que le mien. Hier, réveillé tard, j'ai trouvé ce mot dans le couloir : « Je sors me balader. Je t'embrasse, mon loir et cher. »

Il m'arrive de penser : « Delphine, ne rentre pas trop vite à la maison, laisse-moi seul, s'il te plaît, au moins une heure ou deux », mais, si je ne sais pas où elle est, je n'ai plus de repères, je pourrais chanter comme dans *Renard* : « J'suis perdu, j'suis fichu. » Quand j'étais à Munich pour la traduction allemande de mon dernier livre, j'attendais avec impatience l'arrivée de ses fax à l'hôtel. Elle m'écrivait : « J'aime relire tes lettres, celles où tu dis que tu relis les miennes. » Mon livre fini, nous irons dîner en terrasse, nous aurons de nouveau des conversations ferventes. De Grèce le mois dernier, elle m'a envoyé ce texto : « Le Péloponnèse devant les yeux, un verre d'ouzo à la main et toi dans ma tête. »

## 3

La première fois que je me trouvai en face de ce que je pris pour un boa constrictor, ce fut dans un livre, et la légende sous la photo m'apprit que ce n'était pas un boa mais un soucouriou, un serpent très rare de la forêt amazonienne. A huit ou neuf ans, j'avais tué une vipère en réussissant à la faire entrer dans une bouteille aussitôt remplie d'eau de Javel : je comptais l'exposer dans le musée d'histoire naturelle dont j'avais, avant les grandes vacances, claironné l'inauguration en septembre. La vipère est venimeuse, ce que ne sont ni les boas ni les soucourious, qui, eux, n'entreraient pas dans une bouteille. Le lendemain, l'eau de Javel n'avait épargné que quelques vertèbres de l'infortuné reptile et je

déchirai la fiche que je venais de préparer :
« Ordre des ophidiens, famille des vipéridés,
*Vipera aspis* (don de M. François Weyergraf) ».
Quand je vidai la bouteille dans les toilettes,
ma mère vint me demander ce que je fabri-
quais et me passa un savon proportionné à
son affolement rétrospectif. En tant que futur
directeur d'un musée d'histoire naturelle, je
n'ignorais pas que le nombre de morts par
morsure de serpent est considérable – en Bir-
manie et en Inde d'accord, mais pas en Provence. Je promis à ma mère de ne capturer
désormais que des lézards.

Est-il vrai que des serpents dépassent sept
mètres de long et pèsent cinq cents kilos ?
Qu'ils vous étouffent dans leurs replis, vous
avalent sans vous mâcher après vous avoir
couvert de leur bave ? Je me renseignai auprès
de ma mère qui me parla surtout des boas
constrictors. Elle sous-estimait, à mon avis, les
soucourious. Quand on coupe la tête d'un
soucouriou, lui dis-je, il saigne comme un
bœuf. Je l'avais lu dans mon livre. D'après ma
mère, ces gros serpents ne s'attaquaient pas
directement à l'homme. Nous étions tous les
deux dans la cuisine. Pendant que ma mère,

debout devant l'évier, me tendait les assiettes
que j'essuyais, en Amérique du Sud, des boas
constrictors achevaient impunément d'engloutir leurs proies – des pécaris, des singes, des
petits garçons. Ma mère m'expliquait comment la bouche des boas se dilate pour ingur-
giter des chèvres. Elle était si convaincante
que je sentais mes os brisés par l'étreinte d'un
reptile aux écailles luisantes. Elle ajouta que les
boas ne sont pas agressifs mais il était trop
tard. Je me voyais étouffé par un serpent de
cinq cents kilos. « De quoi parliez-vous tous
les deux ? » avait demandé mon père quand
nous étions passés à table. Ma mère lui dit
d'un ton que je ne trouvai pas suffisamment
rempli d'ardeur : « François s'intéresse aux serpents. »

J'allai voir ce qu'on disait du boa dans le
Larousse familial où le soucouriou ne figurait
même pas. Je lus qu'un boa *n'est dangereux que
par sa grande taille et sa force.* « Que par » !
Comme si la force et la taille n'étaient rien ! A
la suite de quel rêve ou de quelles rêveries en
suis-je venu à penser que ma mère était un boa
constrictor que je me sentais capable d'appri-
voiser si les choses tournaient mal, un boa qui

ne s'attaquerait pas à moi, un boa angélique,
en quelque sorte. Mais les boas peuvent avoir
envie de vous serrer très fort par pure et
simple gentillesse, comme font la plupart des
mères, et bien entendu la mienne, et on meurt
étouffé. Malgré la peur je n'étais pas mécontent
d'avoir une mère qui était un boa constrictor.
Les mères de mes amis faisaient semblant
d'être infirmières ou secrétaires. Celui-là ne
savait pas qu'en rentrant de l'école il se jetait
dans les bras d'un crotale atroce, *crotalus atrox*,
ni celui-ci qu'il demandait à un serpent à
lunettes de l'aider à faire ses devoirs. Je pris
soin de ne manifester aucune méfiance apparente à l'égard de ma mère. Je me montrai plus
gentil qu'avant. S'est-elle rendu compte que je
redoublai d'affection pour elle dans les mois
qui suivirent ma découverte? Mais je ne
comptais pas me laisser dévorer si facilement.
Il allait falloir, pour tenir tête à ma mère, que
je devienne un serpent à mon tour. Un cobra
royal? Un redoutable mangeur de serpents,
celui-là, extrêmement irascible. Il n'attend pas
qu'on le dérange pour attaquer. Son venin est
très dangereux. En captivité, il se nourrit de
plusieurs serpents par jour. Je fis une liste de

serpents intéressants : le serpent tigre (très irascible), le mamba noir (agile, très dangereux), le mocassin d'eau (excellent nageur, très redouté, n'hésite jamais à attaquer, morsure presque toujours mortelle), le *bitis gabonica* (un des serpents les plus redoutables du monde).

Je ne me serais jamais souvenu du soucouriou si je n'avais pas déniché l'autre jour un exemplaire défraîchi, dos cassé et couverture déchirée, de *Fauves humains de l'Amazonie* chez un bouquiniste où je vais régulièrement et qui n'osa pas me le faire payer. « Vu son mauvais état, je vous l'offre », me dit-il. J'avais reconnu l'ouvrage que j'avais pris dans la bibliothèque de mes parents au début des années cinquante du siècle dernier. Ma mère ne m'avait pas demandé comment j'étais au courant de l'existence du soucouriou. Elle avait dû croire que j'avais trouvé ce mot dans un album du Père Castor. Elle n'aurait pas aimé que je lise à neuf ans *Fauves humains de l'Amazonie*, un livre dont elle ne soupçonnait pas le terrifiant contenu puisque j'en avais arraché les pages les plus monstrueuses. La raison qui m'avait fait emporter ce livre dans ma chambre n'avait rien à voir avec les serpents, mais avec les chasseurs de têtes, une activité dont j'ignorais tout. Pendant ma lecture, je m'étais retrouvé dans des forêts où l'on risque à chaque instant d'être tué par une fléchette au curare dans la nuque, à moins d'avoir déjà succombé à la piqûre mortelle d'une araignée grosse comme un crabe ou à la rencontre d'une colonne de fourmis rouges, des dangers auxquels échappèrent de justesse l'auteur et le jeune lecteur de *Fauves humains en Amazonie*. Réduire une tête humaine est moins difficile qu'on ne croit. Il faut casser les os du crâne en prenant garde de protéger la peau du visage avec des feuilles de palmier. On fait sortir les os et la cervelle par l'orifice du cou, et puis on gratte bien l'intérieur. Remplie de sable et de cendre, la tête rapetisse en quelques heures. Voilà ce qui passionnait un petit garçon qui cachait bien son jeu. Je n'allais quand même pas lire *Le Petit Prince* toute ma vie.

Je pourrais parler de mon enfance pendant des pages et des pages, je l'ai fait dans d'autres livres, je le ferai encore. Comme c'est confortable ! On ne prend aucun risque à parler de son enfance, du moins à l'écrire car on se compromet davantage dès qu'on parle. Juges et psychanalystes sont payés pour le savoir. Le principe de l'oralité des débats reste jusqu'à nouvel ordre fondamental en justice. Il est exceptionnel qu'on permette à un témoin de s'aider de documents écrits. La cour d'assises ne prend pas avec elle le dossier de l'affaire dans la salle des délibérations. Et puis, les débats sont contradictoires. Le prévenu a le droit de poser des questions aux témoins. Pourquoi mettre « témoin » au pluriel ? Je ne vois que moi, témoignant parfois en ma faveur et parfois pas, sans cesse tourmenté, intimidé, figé par les questions que pose mon Surmoi. Suis-je témoin, prévenu, défenseur, juge ou simplement greffier penché sur le plumitif de l'audience ? On appelle « plumitif » le texte des délibérations du tribunal, le registre où elles sont écrites, d'un vieux verbe « plumeter », prendre des notes, écrire au brouillon. Va pour plumitif. Que dois-je noter ?

Je viens d'envoyer un fax à ma banque, où je me livre à des variations sur l'endettement. Je rappelle au directeur de l'agence la célèbre proposition des économistes Miller et Modigliani, où ils établissent que la valeur d'une firme endettée est la même que celle d'une firme non endettée. Je lui raconte la visite de Charles Quint à ses banquiers d'Augsbourg qui eurent l'élégance de brûler devant lui, dans un feu de bois de santal, les reconnaissances de dette qu'il avait signées. Le récit du séjour de Charles Quint chez les Fugger, ses banquiers, qui le traitèrent splendidement, fait partie d'un des livres que j'écris en ce moment : j'ai trouvé normal que mon banquier le lise avant mon éditeur.

Ai-je eu raison d'envoyer ce fax ? Les fax m'épargnent l'angoisse du contact direct avec les autres. J'ai enfreint la règle de l'oralité des débats. Le banquier se prononcera après lecture de mon fax et je l'empêche d'avoir, en me rencontrant, ce que la loi souhaite : un rapport personnel avec l'accusé. Mais, comme je suis écrivain, j'ai écrit. A quoi bon aller voir ce banquier qui m'aurait dit une fois de plus : « Je ne suis pas banquier, je suis employé de banque et j'ai des comptes à rendre à ma hiérarchie » ? Mon compte présente un solde débiteur très au-delà de son autorisation depuis un nombre de mois que je préfère ignorer et nous savons tous les deux, débiteur et banquier, qu'il n'y a rien d'autre à faire qu'attendre que je publie un livre ou deux : « Je vous conjure d'avoir le même espoir que moi », lui ai-je dit à la fin de notre dernier coup de téléphone, et il m'a répondu : « Mettons que je n'aie pas le choix. » Je réagissais à la dernière phrase de sa lettre recommandée, une phrase qu'aurait pu signer Napoléon : « Cette situation ne peut plus durer. »

J'ai annulé mes rendez-vous avec mon généraliste à qui je comptais demander des fortifiants – je me débrouillerai sans lui et sans eux – et avec mon ophtalmo qui veut me convaincre de passer aux verres progressifs : « N'attendez pas d'avoir soixante ans, l'accoutumance sera beaucoup plus difficile. » Des secrétaires m'ont remercié de me décommander plusieurs jours à l'avance. Pour une fois que je fais quelque chose à l'avance !

« Comme j'ai de la chance de vivre en France ! Ce n'est pas aux Etats-Unis qu'on traiterait un écrivain avec une telle mansuétude », ai-je pensé en surveillant l'envoi d'un nouveau fax à M. le Comptable du Trésor, en prévision du non-respect de mon échéancier :

91

« Vous et moi avons le même désir, celui que mes impôts soient payés. Pour vous, c'est votre travail. Pour moi c'est un cauchemar. Cher Monsieur le Comptable du Trésor, la célèbre psychanalyste Françoise Dolto dit que les gens écrivent parce qu'ils tomberaient malades s'ils n'écrivaient pas. Moi c'est le contraire : c'est écrire qui me rend malade. Vos commandements de payer me rappellent à la réalité et je vous en remercie. Il faut que je finisse mon prochain roman. » J'avais failli ajouter que le problème du livre sur ma mère – il est au courant de mes projets –, c'est que mon père écrivit plusieurs livres sur ma mère, ou plutôt sur sa femme, et que j'allais me trouver une fois de plus en compétition avec lui. Je souhaitais consacrer un livre à ma mère âgée, ce que mon père vivant aurait fait, mais il était mort, ce n'était pas ma faute. Suis-je bien sûr que ce ne soit pas ma faute ? N'ai-je pas souhaité la mort de mon père, en son temps ? N'ai-je pas dit à un médecin, avant la parution de mon premier roman, cette phrase qui lui sembla assez surprenante pour qu'il en prenne note : « Si je publie ce livre, mon père va mourir, il ne supportera pas de me lire » ? Or mon

92

père mourut quelques mois après que le livre en question fut en librairie. J'ai beau me dire que c'est une coïncidence, les dates sont là et me tenaillent.

Je regrette la pièce où j'ai fini d'écrire tous mes livres. Déménager fut une bêtise, mais j'y fus contraint. En fin de bail, le propriétaire a fait croire à un juge qu'il allait installer des gens de sa famille à la place du locataire que j'étais. Il a menti. J'ai vérifié. Personne de sa famille n'occupe l'appartement. Mon ex-appartement est aujourd'hui divisé en trois au mépris d'une distribution des pièces digne d'être classée par l'Unesco — du temps d'Haussmann les architectes d'intérieur savaient ce qu'ils faisaient —, trois studios minables, dans lesquels on a dû installer trois toilettes et trois cuisines, sont maintenant loués à des prix sans doute prohibitifs. J'ai travaillé dans beaucoup d'endroits, en Provence, en Sologne, en Bavière, à Londres, à Venise, à Bruxelles, à Berlin, à Lausanne et puis j'ai dû forcer la dose, m'éloigner davantage de Paris, quitter l'Europe. Je suis allé à Tanger, à Dakar, j'ai passé un mois dans une chambre du dernier étage de l'Akasaka Prince Hotel à Tokyo, j'ai loué un appartement au-dessus du café Les Gâteries à Montréal, je fus heureux à Melbourne (personne ne veut me croire) mais je suis toujours revenu là, dans cette pièce que je comparais à une salle de montage où je m'enfermais après ce que j'appelais « le tournage de mes livres en extérieurs ». J'ai essayé de recréer cette pièce dans le nouvel appartement. On dirait que ça ne marche pas.

Je vais aller dormir. Je me fais toujours une joie de m'endormir. C'est le moment où j'ai le plus d'idées. J'en ai plein, les plus belles qui soient, je les accueille et les entoure de prévenances, d'autant plus que je sais que je ne pourrai pas les utiliser. Il m'est impossible, hélas, d'écrire et dormir en même temps. Je m'endors donc en me trouvant génial et je me réveillerai en trouvant que ma vie est horrible, deux jugements très exagérés.

Chaque été depuis les dernières années du XX$^e$ siècle, des journaux annoncent la parution à l'automne d'un roman qui me concerne : mon nom est imprimé sur le projet de couverture – un roman dont il serait temps que je

94

devienne l'auteur en cessant de ne pas le terminer. Je pourrais paraphraser le début du
*Dernier Jour d'un condamné* de Victor Hugo :
« Finir mon livre ! Voilà quatre ans que j'habite
avec cette pensée, toujours seul avec elle, toujours courbé sous son poids ! Autrefois, j'étais
un homme comme un autre homme. Je pouvais penser à ce que je voulais, j'étais libre.
Maintenant, je n'ai plus qu'une conviction : je
dois finir ce roman. »

C'est loin d'être la première fois que je
choisis un écrivain comme narrateur. Je me
sens plus à l'aise avec un écrivain qu'avec un
serial killer, un chirurgien ou un ministre. Les
écrivains dans mes romans sont de plus en
plus déprimés, aux prises avec l'argent, le sexe,
leur famille et les concepts opératoires qu'ils
opposent aux vérités prétendument éternelles.
Le narrateur de mon prochain livre s'enferme
chaque nuit dans une pièce où il se propose de
travailler mais où il se livre à d'autres occupa-
tions qui, dirai-je en sa faveur, sont censées lui
donner des idées pour le travail en cours.
« Mais qu'est-ce que tu fais toutes les nuits ? »
s'était inquiétée sa mère. Il n'a pas osé
répondre qu'à l'âge qu'il avait il se masturbait

encore, non pas au figuré dans ses textes, mais au propre, si le mot propre convient quand il s'agit d'essuyer avec un mouchoir en papier le sperme qui dégouline sur le ventre, les cuisses et le plancher. Le travail intellectuel se paye en renonçant à des satisfactions plus immédiates, c'est une loi, mais mon narrateur se disperse. Il rédige à l'aide d'un vieux dictionnaire de rimes (le même que celui qu'utilisait Charles Péguy, ce rimeur hors compétition) des vers de mirliton qu'il faxe à ses amis, il cherche dans un texte de Martin Heidegger le passage où est commentée la phrase de Hegel disant qu'une chaussette déchirée est préférable à une chaussette reprisée et il se demande si un roman annoncé n'est pas préférable à un roman publié, il découpe dans un hebdomadaire italien l'interview de l'ingénieur qui a redressé la tour de Pise et toute honte bue il se compare à la tour de Pise, penché comme elle, ayant besoin d'être redressé comme elle, il écoute à cause du titre *Caramba! It's the Samba!* chanté par Peggy Lee, il a acheté le disque à cause de ce titre et bien sûr la chanson n'est pas à la hauteur du titre, il écoute un quatuor à cordes de Morton Feldman qui dure plus de quatre

heures et se demande comment ont fait les
interprètes pour jouer pendant plus de quatre
heures sans avoir de crampes et sans avoir
envie d'aller aux toilettes cette musique lanci-
nante et déprimante. C'est la nuit il écrit et il
met un autre disque, du Bach joué au piano
par Evgeni Koroliov, le pianiste russe qui
écrase Glenn Gould dans les *Variations Goldberg*, il se trouve injuste pour Glenn Gould et il
réécoute Glenn Gould, c'est vachement bien
Glenn Gould, il compare le *Banquet* de Platon
à celui de Xénophon et préfère celui de Xénophon (voilà qui reste à démontrer, mais il le
fera, pourquoi pas dans *Volcano*), il relit des
lettres où une femme qu'il n'a pas vue depuis
quinze ans lui demandait de jouir en pensant à
elle, il se dit que ce serait excitant de le faire
quinze ans plus tard comme un pied de nez au
temps qui passe, mais le temps ne passe pas
c'est nous qui passons, « le temps, se dit-il,
mon éternel problème », le vieux thème faus-
tien. Il revoit les yeux bleus de celle à qui il
avait dit à la fin du xx$^e$ siècle « *my sweet
nightingale* », elle parlait anglais, elle l'avait
embrassé : « Redis-moi *nightingale*, tu es né
pour prononcer *nightingale*. » Il repense aux

quinze jours qu'il vient de passer au Ritz de Barcelone, l'hôtel où, quand il était beaucoup plus jeune, il s'était retrouvé dans l'ascenseur avec Greta Garbo, une vieille dame qu'il n'aurait pas reconnue si le garçon d'étage ne lui avait pas dit qui c'était. La jeune femme avec qui il vient de passer deux semaines à Barcelone lui a chuchoté à l'oreille : « Entre nous, ce n'est pas une histoire d'amour, c'est une histoire de cul, et c'est très bien comme ça ! » Ils ne sont pas sortis de l'hôtel, ils se sont fait monter les repas et les bouteilles de champagne dans la chambre, tout cela était payé par un à-valoir sur ses droits d'auteur, comment finir un livre sans faire l'amour ? Il avait dit à la délicieuse Dolorès : « Je devrais travailler ! Si mon éditeur me voyait... », et elle avait répondu : « Il t'envierait. »

Voilà ce que je mets dans la tête de mon narrateur. Il lui arrive aussi de sortir pour voir le ciel et marcher un peu. Il se dirige vers le Palais-Royal, un excellent but de promenade, mais à peine a-t-il parcouru trois cents mètres qu'il éprouve des remords. Il se sent coupable de s'éloigner de sa table de travail. La marche à pied, ce sera pour plus tard. Il aura tout le

temps de se promener quand il aura publié. Il
revient sur ses pas et rentre chez lui. Le soir, je
lui accorde parfois la permission de quitter la
pièce où je l'enferme et, à deux heures du
matin, le malheureux fonce au Wine and
Bubbles, un bar de la rue Française, où il boit
avec ses copains, les propriétaires du lieu, deux
ou trois verres d'un vin du Languedoc à
14,5 % d'alcool en guise de calmant, pendant
que j'attends son retour en buvant du thé vert
chinois, un redoutable excitant. Pour aller
mieux, je devrais peut-être lire des ouvrages
comme *Apprivoisez votre stress*. Je ne veux pas
descendre aussi bas. L'autre jour dans le
métro, une très jolie femme s'est assise en face
de moi et j'ai aussitôt voulu l'inviter à dîner
pour qu'elle me raconte sa vie, ce qui m'évite-
rait d'avoir à penser à la mienne. Je nous
voyais déjà à Capri. Elle sortit un livre de son
sac. Je cessai d'avoir envie de lui parler dès que
je vis le titre : *Le Succès par la pensée constructive*.

Ma mère m'a dit, il y a deux ou trois ans :
« Tu devrais publier. Les gens vont croire que
tu es mort. » Chère Maman, on ne m'oublie
pas. J'ai reçu cette semaine une lettre d'un de
mes anciens professeurs. Il doit avoir le même

âge que toi et il se souvient de l'élève brillant que je fus d'après lui : « En littérature française, vous en saviez bien plus que moi et jamais vous ne me l'avez fait sentir » (que je ne le lui aie pas fait sentir m'étonne, mais s'il le dit...) Ce prêtre qui a passé des heures dans son confessionnal (de quoi rendre jaloux le romancier que je suis devenu), en sait long, je suppose, sur la procrastination. Je devrais lui répondre. Sa lettre de quatre pages serait-elle providentielle ? Il se souvient de mes retards. Il m'apprend que mes retards étaient célèbres à l'école, qu'on les évoquait aux réunions de professeurs.

Je voudrais tout planter là et partir en voyage.

Le voyage ! Quel mot entraînant ! Dès qu'on le prononce, on ne voit pas un mot qui soit plus beau, même si cela arrive avec tous les mots dès qu'on fait attention à eux. La notion de voyage, mal dégagée du pèlerinage et des croisades, est née et s'est développée en même temps que cette autre invention : le roman. Bon sujet d'article. J'y pense en faisant voyager les personnages de mes romans. Le vrai voyageur est impulsif. Il part pour partir.

Il ne sait pas ce qui l'attend. Il ressemble au romancier qui, au fur et à mesure qu'il rédige, se méfie de ses propres plans. Le bon voyageur devient romancier, ce qui n'empêche pas les voyages d'être poétiques, mais quand même, les voyages relèvent de la prose. Pourquoi? Parce que seule la prose rend compte de la vie sexuelle, la poésie n'en est qu'un charmant écho, et qui osera séparer le sexe du voyage? Voyage, sexe et prose, quelle trinité! Si je n'avais jamais voyagé, ce serait comme si je n'avais jamais fait l'amour... Ce serait bien triste.

Il y a huit jours, j'ai renoncé à une croisière dans les West Indies sur le yacht d'un admirateur, pour rester assis devant ma table de travail dans cette pièce enfumée que j'aère quand même de temps en temps. «Je ne te vois pas sur un yacht», m'a dit ma mère au téléphone en me rappelant la peur que j'avais quand nous avions pris tous les deux la malle Ostende-Douvres pour aller voir à Londres ma sœur cadette, inscrite à je ne sais plus quelle école genre Beaux-Arts. Adieu les antipodes, me suis-je dit. Les îles Sous-le-Vent sont-elles aux antipodes? Adieu Trinidad et Tobago, adieu

Antigua et Barbuda. J'avais pourtant un alibi avec mon livre sur les volcans. Les Antilles sont pleines d'îles d'origine volcanique. J'ai dû choisir, vulcanologue ou romancier. Adieu la végétation luxuriante, le rhum et le curaçao. Ce n'est pas cette année que je découvrirai les Antilles néerlandaises et entendrai parler là-bas, au soleil, la langue maternelle de Rembrandt, Spinoza, Van Gogh et Karel Van den Œver, un poète anversois dont je connais quelques vers : « *O Dinska Bronska, gij vertrekt naar Canada* » (ô Dinska Bronska, tu pars pour le Canada). Adieu les côtes vénézuéliennes, adieu isla La Tortuga. Je me prends pour le spectre du père d'Hamlet qui, avant de disparaître, dit en v.o. : « *Adieu adieu adieu remember me.* » Aurais-je dû prendre l'avion pour la Jamaïque où m'attendait une cabine à bord du yacht *La Pasithée* ?

— Je n'ai jamais regretté un voyage, m'a dit Hubert, un de mes plus anciens amis qui a dû faire au moins trois fois le tour du monde. Il vit au Japon (« mon archipel », dit-il) où il s'occupe depuis quarante ans d'une encyclopédie consacrée à l'explication des termes techniques du bouddhisme. Un soir dans un restaurant de Kyoto, devant les meilleurs sushis de ma vie, légèrement marinés dans du vinaigre de riz, poissons de printemps et coquillages, *suzuki, kohada, akagai,* nous nous sommes soudain rendu compte que nous avions eu, à quelques années près, le même professeur de français, Monsieur Laloux. Hubert avait son adresse et, tout en nous rappelant le grand grammairien qu'il était, nous lui avons écrit une carte postale signée par deux de ses anciens élèves. Je lui ai envoyé des vœux cette année, mais je crois qu'il est mort. Chaque fois que je publiais un livre, il l'achetait et m'écrivait, me félicitait.

Professeur de français, Monsieur Laloux fut aussi mon professeur de latin dans un collège de jésuites à Bruxelles, la ville natale d'Audrey Hepburn, la ville natale de mes confrères Rosny aîné et Rosny jeune, la ville natale de Jacques Feyder, le seul Belge qui ait filmé Marlène Dietrich, le seul Belge qui ait filmé Greta Garbo, le seul metteur en scène au monde qui ait filmé les deux. Bruxelles à la fin des années cinquante, cette merveille a disparu. Où sont les cirques et les autos-scooters de la place Sainte-Croix ? Le cinéma Régent, rue Gray, où, pour la première fois de ma vie, j'ai vu pendant quelques secondes une femme presque nue sur un écran ? Où sont les chevaux dans les rues d'Ixelles ? J'entends encore le bruit de leurs sabots sur le pavé. Ils ont disparu avant les autos-scooters et ce fut la fin de la vie rurale en ville. J'ai repensé à Monsieur Laloux il n'y a pas longtemps. Je me demandais ce qui se passerait si je mourais dans quelques jours. Je me suis repris : « Pourquoi dans quelques jours, pourquoi une autre fois, pourquoi pas tout de suite ? » Et j'ai entendu la voix de Monsieur Laloux prononçant l'adverbe latin *olim*.

Nous traduisions un passage d'Albius Tibullus, l'ami d'Ovide et d'Horace, le célèbre poète élégiaque. Tibulle, gravement malade, est retenu à Rome pendant que ses amis prennent les eaux en Etrurie. Il leur écrit ses regrets de ne pas être avec eux. Il se sent en danger de mort, il ajoute qu'il est prêt à mourir puisqu'il faut mourir, mais il souhaite que ce soit *olim*, « une autre fois ». J'avais traduit « le plus tard possible ».

Monsieur Laloux me reprend :

— Ne craignez-vous pas que le fond de la

pensée ne vous ait fait illusion sur la forme, et par suite sur cet adverbe qui ne me semble pas avoir la portée que vous lui donnez? Relisez donc le vers.

— *Elysios olim liceat cognoscere campos.*

— Vous voyez bien! *Olim* est en latin ce qu'est en français son équivalent « un jour », c'est une sorte de Janus grammatical, une face tournée vers le passé, une autre vers l'avenir. Il n'affirme ni l'un ni l'autre et n'a de valeur que comme négation du présent. Le poète ici ne demande à la Mort que de différer l'instant fatal, *olim*. Sa prière n'est vraie et touchante que parce qu'elle ne dit pas « le plus tard possible » comme dans votre traduction, ce qui serait trop exigeant pour un moribond. Je crois entrevoir, Monsieur, ce qui a pu vous tromper. Préoccupé d'*olim*, vous avez négligé *liceat*. Traduisez tout simplement : « Qu'il me soit permis de faire connaissance une autre fois avec les champs Elysées », retirez votre « puissé-je » et la difficulté s'évanouit. Vous n'aurez plus besoin de ce « plus tard possible » qui gâte tout. De grâce, mon cher Weyergraf, laissez à l'*olim* de Tibulle sa réserve et sa timidité.

En merveilleux pédagogue nourri de tous les dictionnaires qu'il gardait dans un placard au fond de la classe, il avait appelé à la rescousse la fable où Jean de La Fontaine (« cet écrivain plus génial qu'on ne le dira jamais », martelait-il) met en scène un centenaire qui s'adresse à la Mort : « Est-il juste qu'on meure au pied levé ? Attendez quelque peu... »

— Vous comprenez ? Le vieillard de La Fontaine s'enhardira jusqu'à dire à la Mort qu'il veut avoir le temps d'ajouter à son logis une aile. Pensez aussi, Messieurs, à la jeune captive d'André Chénier suppliant la mort dont le fantôme sanglant lui apparaît : « Je ne veux pas mourir encore », puis précisant le délai : « Je veux achever mon année. » Cet *olim*, c'est la demi-obéissance et la quasi-soumission, c'est l'histoire de tous les suppliants et de tous les mourants.

Cher Monsieur Laloux ! Je consulte toujours le dictionnaire de Freund-Theil que vous vénériez et que vous m'avez offert à la fin de l'année. Pourquoi ai-je pensé à la mort l'autre nuit ? Je me disais : « Si je meurs bientôt, à quoi m'aura servi ma vie ? Je n'aurai rien fait de ce qui me reste à faire. » Je ne sais plus si je pensais à mes romans ou à mon amour pour les personnes que j'aime dans la vie réelle, mais il y a des moments où je crois que le réel, c'est ce que j'invente au fur et à mesure que j'écris. « Les cellules sont faites pour mourir », me disait un ami biologiste en s'extasiant sur les saveurs de figue, de miel et d'amandes grillées qu'il décelait dans la bouteille de sauternes que nous venions d'ouvrir, un château Rieussec 1996. « La prolifération cellulaire se paye en perte de mémoire. Nous, les cultivateurs de cellules, nous nous battons avec la mort. Je pense constamment à la mort.

— La mort est bien le seul événement, je te le dis en romancier, qu'on ne pourra jamais raconter aux autres.

— Si on pouvait mourir plusieurs fois, on pourrait s'exercer.

— Tu parles en tant que patron d'une unité de neurobiologie?

— Je ne parle bien que des choses pour lesquelles je suis incompétent. Le savoir nous entraîne dans trop de culs-de-sac. L'incompétence est une garantie de sérieux. Ne soyons orfèvre en aucune matière.

— Contentons-nous d'astiquer les cuivres et de fourbir l'argenterie ! De dépoussiérer, de ravaler, de décaper, ... Nous sommes là pour débroussailler le jardin... Le jardin de notre cerveau ? Allez, à ta santé ! »

Vivre jusqu'à la dernière minute sans savoir à quelle heure on va mourir est le plus beau cadeau que les dieux nous font, des dieux, quel que soit leur nom, en qui, rien que pour cette raison, on devrait croire.

# 4

Ma sœur Madeleine a fini par me dire : « Tu devrais voir Maman plus souvent. Elle n'osera pas te le demander mais ce serait bien que tu ailles passer quelques jours avec elle. Tu ne la vois pratiquement jamais. Elle va mourir un jour et, à ce moment-là, ce sera trop tard, mon vieux. Tu ne pourras même plus lui téléphoner. A l'âge qu'elle a, on peut tout à coup apprendre sa mort sans que ce soit étonnant. Tu l'as vue quand pour la dernière fois ? »

J'écoutais Madeleine et j'essayais de me souvenir. Depuis quand n'ai-je pas embrassé Maman ? Madeleine se trompait en croyant que Maman ne demandait pas que j'aille la voir. Bien au contraire, elle y faisait allusion chaque fois qu'on se téléphonait : « Mais si ça

ne contrecarre pas ton travail, bien sûr », ajou-
tait-elle. Quand je lui proposais de descendre
la voir au prieuré deux ou trois jours, elle refu-
sait : « Je préfère attendre encore un peu, et
que tu restes au minimum une grosse semaine,
ou plutôt quinze jours. » Que ne me dit-elle
carrément : « Je veux te revoir au lieu de
t'entendre au téléphone, j'en ai assez du téléphone »? Descendre la voir n'aurait pas dû
être compliqué avec tous les avions pour Marseille, tous les trains pour Avignon. Mais,
Maman, ça fait des années que je suis
convaincu que mon roman sera terminé la
semaine prochaine et que j'aurai tout le temps
de venir chez toi pendant qu'on l'imprime.

Je ne lui ai pas précisé que, depuis le même
nombre d'années (je ne veux pas savoir
combien), je n'ai pas écrit grand-chose qui
vaille qu'on l'imprime. Le jour où j'ai trouvé le
titre du roman, *Trois jours chez ma mère*, elle fut
contente pour moi. Un titre, pensait-elle, ça
allait m'aider. Tu te trompes, ma chère mère !
Un titre qui arrive trop tôt, ce n'est pas une
aide. Le titre se met à tout régenter. Les titres
devraient être trouvés à la fin et par quelqu'un
d'autre. Avec *Trois jours chez ma mère*, je ne

savais pas ce qui m'attendait. Trois jours, c'était la durée trop courte dont ma mère ne voulait pas entendre parler, et la mère, qui serait celle du personnage que j'allais inventer, devenait inexorablement pour tous ceux à qui je demandais leur avis sur ce titre, la mienne...

Ma mère, elle, demandait : « Tu arrives quand même à travailler ? Tu as écrit beaucoup de pages ? » Je reconnaissais bien là une question de veuve d'éditeur ! Elle savait de quoi elle parlait. Elle a épousé Franz et elle est devenue la mère de François, deux écrivains. Elle aida son mari à gérer une maison d'édition et a sûrement dû l'encourager à finir les livres qu'il écrivait avant de les éditer lui-même.

J'ai passé un mois d'affilée chez ma mère, il y a environ quinze ans de cela, fin janvier. J'avais décidé de venir finir un de mes romans près d'elle. Je fis livrer un carton plein de livres et de toute une documentation par la SNCF. Je m'installai dans la grande chambre du fond, celle dont les deux fenêtres donnent sur la terrasse, et je compris dès le lendemain que je n'arriverais pas à écrire une ligne de mon livre dans cette pièce. J'avais fait tout cet effort pour rien – le choix des livres à emporter,

l'ordre mis dans mes papiers pour décider des-
quels j'aurais besoin, l'annonce autour de moi
de mon départ – mais je décidai de rester. La
maison était très bien chauffée, ma mère avait
fait installer le chauffage central au mazout
avec, je crois, l'argent de l'assurance-vie de
mon père. On n'allumait les radiateurs que
dans les pièces où l'on vivait. Je passai des nuits
entières à fouiller dans la cave d'où je remon-
tais des paniers en osier, des lampes à pétrole,
des bougeoirs, une statuette en bronze : un
sanglier blessé. « Tu as déterré cette horreur,
s'écria ma mère. Elle était sur la cheminée de
la salle à manger de mes parents, je l'ai vue
chaque jour pendant toute mon enfance. Si tu
la veux, je te la donne. » J'astiquai le sanglier
qui me tint compagnie dans la chambre du
haut, à la fois imposant presse-papier et substi-
tut d'une lithographie de Boyan que j'ai offerte
au lieu de la conserver, la tête et surtout le
regard impératif d'un sanglier qui me donnait
envie de travailler chaque fois que je la regar-
dais. Il y avait un beau travail de fondeur et
j'imaginais cette sculpture dans la vitrine d'un
petit musée de province, auquel dans mon
souvenir ressemblait un peu la salle à manger

de mes grands-parents. Je remontai aussi de la cave un bonhomme que j'avais fabriqué avec des ressorts de fauteuil quand j'étais petit. Mon père, arborant la mine réjouie d'un galeriste qui sort ses meilleures pièces, le montrait aux amis de la famille, des gens qui m'avaient vu naître et qui, se passant de main en main mon chef-d'œuvre, le rapprochant ou l'éloignant de la lumière, m'annonçaient que j'étais doué, comme si je ne le savais pas. « On va jeter cette vieillerie », dis-je à ma mère qui me demanda de la redescendre à la cave : « J'aime savoir qu'elle est là ! »

J'achetai des encres de couleur, des porteplumes et un assortiment de plumes dans une papeterie de la Grande Rue à Manosque, une merveilleuse encre d'un vert pâle appelé « *April Green* » par son fabricant, Salis International à Hollywood en Floride, des encres de Chine indélébiles, un bleu de cobalt et un vermillon de Lefranc et Bourgeois, un bleu outremer de Pelikan, une encre pigmentée pour la calligraphie, d'un rouge carmin très austère, fabriquée par Rohrer et Klingner à Leipzig. Je possède encore tous ces flacons d'encre, certaines ont séché depuis. J'achetai aussi du papier à lettres et des enveloppes. Les enveloppes coûtaient plus cher que le papier à lettres. J'utilisais l'encre américaine vert pâle pour écrire à ma mère, chaque matin avant de m'endormir, des mots parfois très longs que je laissais sur les tomettes du couloir devant la porte de sa chambre. Elle m'en laissait à son tour, rédigés au stylo à bille, quand elle quittait le prieuré avant mon réveil. Elle menait une vie sociale intense que je découvrais. Elle était très populaire dans toute la région, disons de Gordes à Château-Arnoux. On l'invitait souvent, on se l'arrachait même, et je l'entendais répondre au téléphone : « Pas cette semaine, vous comprenez, mon fils est là... » Quand c'était Frédéric Trubert qui appelait, elle fermait la porte et ne manquait jamais de me dire : « Frédéric te transmet un grand bonjour », ou un chaleureux bonjour, ou toutes ses amitiés. Au milieu de mon séjour, elle s'absenta pendant un long week-end, elle devait retrouver Frédéric à Aix-en-Provence où elle se rendit en car (je l'accompagnai jusqu'à Manosque). De là ils allaient sur la Côte. Elle trouva le temps de me téléphoner pour savoir si tout se passait bien, si j'avais

114

trouvé les fruits dans la resserre au fond de la cuisine.

La nuit, j'écrivais des lettres à ma famille et à mes amis, et pour me donner bonne conscience je comparais la rédaction de ces lettres aux exercices que font les danseurs à la barre afin de s'assouplir avant le spectacle. Ces lettres me maintenaient en forme et me permettraient de passer un jour à l'essentiel, à ce que mon contrat appelait « le prochain roman de l'auteur ». Ce fut l'anniversaire de Woglinde, je lui écrivis une lettre où je me servis de toutes mes encres et je lui envoyai une boîte de calissons d'Aix et deux albums de trois kilos chacun, *Tous les animaux du monde*, avec des photos pleine page de poissons ahurissants, elle qui aimait tant que je l'emmène à l'aquarium du musée de la Porte Dorée, où elle reprochait aux crocodiles d'être toujours en train de dormir. J'aurais pu remonter à Paris pour son anniversaire, mais j'étais empêtré dans mes mensonges : ma famille croyait que j'écrivais chaque nuit comme un dieu, du moins comme un prophète. Le moindre voyage, me disait-on, risquait de me déconcentrer.

Je fumais et toussais beaucoup. Ma mère fit venir son médecin au prieuré, il plaisanta puis m'ausculta, aussi concentré que moi quand j'écoute du Webern. Ensuite il m'ignora et s'adressa à ma mère, exactement comme si j'avais huit ans : « Je serais vous, Madame, je lui ferais passer une radio des poumons. »

« François, nous allons être en retard. Appelle le taxi. » D'accord, Maman, en route vers le sevrage tabagique ! Elle fait semblant de ne pas être angoissée mais je vois bien qu'elle l'est. Un fumeur sur deux meurt parce qu'il fume. Mon père aussi fumait, mais c'est d'une angine de poitrine qu'il est mort. Au laboratoire, une secrétaire s'empare de mon ordonnance comme s'il s'agissait d'un billet d'avion. Va-t-elle me demander si je préfère le côté couloir ou le côté hublot ? Nous pénétrons dans une salle d'attente où quatre ou cinq individus hyperanxieux sursautent rien qu'en voyant débarquer un couple aussi inoffensif que ma mère et moi. La moitié des spots halogènes a sauté sans qu'on les remplace, la peinture des murs s'écaille, la moquette est tachée, mais je me rassure en pensant qu'ici on investit les bénéfices dans le matériel technique et les salaires d'un personnel hautement qualifié. J'ai l'impression d'être dans un film où des citoyens expatriés, réfugiés dans leur ambassade, guettent l'arrivée improbable du dernier hélicoptère qui leur permettrait d'échapper à la tuerie annoncée par les Khmers rouges. Il me faudra cinq minutes pour comprendre que, contrairement à moi, les autres ont déjà passé leur radio et s'attendent au pire. Une porte s'ouvre, un nom de famille est écorché, ma mère me souffle : « C'est ton tour. » Je me souviens de livres que j'ai lus sur la Résistance. Un type de la Gestapo vient vous chercher pour l'interrogatoire. Les camarades vous disent : « Courage ! » Je suis l'otage tiré au sort qu'on extrait de sa cellule pour le fusiller. Je serre le bras de Maman. Je lui chuchote à l'oreille : « Si j'en réchappe, je ne fumerai plus jamais de ma vie. » Elle me répond : « Si je croyais encore à ces fadaises, je dirais mon chapelet ! Ah, si je pouvais échanger tes poumons contre les miens... » Elle n'a jamais fumé de sa vie mais elle a vécu avec un grand fumeur. Mon père fumait même dans leur chambre, ce que, depuis longtemps, Delphine m'a demandé de ne plus faire. Merci, Maman,

117

d'être à mes côtés quand j'apprendrai que je n'en ai plus pour longtemps. Je n'ai arrêté de fumer que deux fois dans ma vie, d'abord quand une femme m'a quitté (trois mois sans fumer) et, peu de temps après, quand je suis tombé amoureux d'une autre que je ne voyais pas autant que je l'aurais voulu (trois semaines sans fumer). Fini l'aimable empressement de la secrétaire à l'accueil. Une infirmière me demande d'enlever ma chemise, une chemise de chez Sulka, du même ton condescendant que les vendeurs de Sulka qui avaient compris au premier coup d'œil que je n'évoluais pas dans l'entourage du président des Emirats arabes unis.

J'avais arrêté de fumer la veille au soir en espérant naïvement donner le change aux rayons découverts un siècle plus tôt par le physicien Röntgen – « un nom de fabricant d'encre », pensai-je, mais en fait d'encre c'était de sang d'encre qu'il convenait de parler. Wilhelm Conrad Röntgen, protégez-moi, ne découvrez rien d'alarmant dans mon appareil respiratoire ! « Mettez-vous torse nu, enlevez votre montre, en cas de prothèse dentaire mobile, déposez-la sur ce plateau. » Je pense avec nostalgie aux panoramiques dentaires, les plus plaisantes des radiographies, avec cette caméra virtuose qui décrit un arc de cercle autour de la mâchoire à la façon d'Hitchcock quand il filme un couple qui s'embrasse. Quel rôle donner à la charmante radiologiste, avec ses cheveux qu'elle va faire couper chez un coiffeur pour hommes, ses joues appétissantes, ses seins comme deux petits fruits ? Une déesse grecque qui préside aux agonies rapides ? Y a-t-il une déesse du tabac ? La délicieuse Nicotina... Lui demanderais-je de se mettre torse nu, elle aussi ? Qu'elle écrase ses seins contre moi ? Voilà à quoi pensent les hommes en danger de mort, ma chère. Elle doit être au courant, ce qui ne l'empêche pas de toucher mon dos de ses mains nues – un geste professionnel.

Une fois la radio prise, on me fit poireauter plus d'un quart d'heure torse nu. La radiologiste ne réapparaissait pas. Un spécialiste des poumons, planqué à l'étage, devait lui dire d'annoncer le résultat fatal plutôt à la personne qui m'accompagnait. Et moi je restais là, à grelotter. Je remets ma chemise ou pas ? Ne pas la remettre, c'est me résigner à d'autres radiographies et à des examens plus rigoureux encore. La remettre, c'est décider un peu vite que je m'en tire. D'habitude, les médecins finissent par me déclarer que je vais bien. C'est lassant, à la longue : « Vous ne croyez pas que je devrais prendre un remontant, au moins de la vitamine C ? — Vous avez une nourriture saine ? Eh bien, continuez comme ça. » Personne n'observerait plus scrupuleusement que moi leurs prescriptions, mais je n'ai besoin ni de médicaments ni de séances de kiné ni de cure thermale. A Manosque, j'étais passé à la vitesse supérieure. J'étais bon pour l'excision d'un poumon, moi qui avais jusqu'à présent échappé au curage cervical (on vous extirpe des ganglions dans le cou, pas avec une curette mais avec les doigts). Le directeur du laboratoire surgit en tirant le rideau, tel le Commandeur dans le *Don Juan* de Mozart ! Et comme dans *Don Juan*, il me tendit la main : « Tout va bien, vous pouvez continuer de fumer. » *Gott sei dank, Herr Röntgen !* « L'imbécile ! » conclut ma mère. Je hélai un taxi et j'invitai Maman à déjeuner à la Fuste, un des meilleurs restaurants de la région. J'avais faim et on se gaverait de gibier et de truffes : « Je n'ai pas de cancer, ça se fête ! » Le lendemain au téléphone, je n'ai pas parlé à Delphine de ma radio des poumons. Elle fume aussi et elle connaît le test d'évaluation de la dépendance à la nicotine et le taux de mortalité des fumeurs.

Ce fut pendant le même séjour que j'achetai à Forcalquier, chez un brocanteur sur la petite place en montant, à droite après la boucherie des Frères Tagliana, un exemplaire maladroitement relié des *Mémoires de la femme de chambre de Madame de Pompadour*, publié en 1824 avec des notes et des éclaircissements. Je me dis que ce serait amusant d'adapter ces Mémoires pour le théâtre : « Les monologues sont à la mode. N'importe quelle comédienne intelligente comprendra que c'est un cadeau pour elle. » Je tapai quelques pages à la machine en pleine nuit. Le lendemain, ma mère me dit, l'air ravi, qu'elle m'avait entendu travailler. Je lui expliquai que j'avais laissé tomber le roman pour écrire une pièce de théâtre. Elle a toujours aimé l'inattendu et elle m'approuva. Accepterait-elle de me lire à haute voix les quelques pages que je venais d'écrire ? Le soir, on avait prévu de regarder *Un jour aux courses,* avec les Marx Brothers, un film que j'avais vu avec elle quand j'étais l'élève de Monsieur Laloux. C'est le film où Groucho tient le rôle d'un vétérinaire qui se fait passer pour un médecin. Prenant le pouls d'Harpo, il regarde sa montre et dit : « Ou bien ce malade est mort ou bien ma montre est arrêtée. » Ma mère me raconta que, l'année de la sortie du film, les Marx Brothers durent comparaître devant un tribunal pour une histoire de copyright et qu'ils demandèrent tout de suite au juge quelles étaient, à son avis, les meilleures prisons.

Après le dîner – elle avait préparé une soupe de légumes comme elle seule est capable d'en faire – elle me dit : « Tu me les montres, tes pages ? » J'avais écrit déjà une dizaine de feuillets.

— Tu veux que je te lise tout ça ? Mais, François, il faut que je me concentre ! Tu me demandes beaucoup. Je ne suis pas Sarah Bernhardt !

J'avais allumé un feu de bois. J'y fis brûler une centaine de bouchons de bouteilles de vin que j'avais apportés de Paris. Ces bouchons, je les gardais depuis des années pour ma mère. On m'avait dit que de nombreux bouchons, jetés d'un coup dans le feu, dégageraient une odeur étonnante. Et c'était vrai. Les bouchons de liège se consumèrent en une minute à peine et nous eûmes l'impression d'avoir le nez plongé dans un verre de vin. Maman jeta un coup d'œil sur la première page et se mit à lire :

« Madame, depuis plusieurs jours, se faisait servir du chocolat à triple vanille, et ambré, à son déjeuner. Elle mangeait des potages au céleri. Je lui fis des représentations sur son régime, qu'elle eut l'air de ne pas écouter. Alors je crus devoir en parler à son amie la duchesse de Brancas, dame d'honneur de Madame la Dauphine. »

— Je ne suis pas l'actrice qu'il te faut. En rentrant à Paris, tu en trouveras bien une, dans ta permanence d'amoureuses, qui pourra te rendre ce service. Le théâtre, moi, je l'aime comme spectatrice.

— Mais tu te trompes ! J'adore ta voix. Tu prononces ça d'une façon un peu lasse qui est parfaite. Avoue que c'est drôle d'être en train tous les deux de nous occuper des cancans à la cour de Louis XV.

Ma mère me révéla qu'elle avait fait du théâtre quand elle était jeune. Nous nous connaissions depuis un demi-siècle et elle ne m'en avait jamais parlé ! Elle avait interprété du Corneille, la reine dans *Sertorius*. A ma demande, elle essaya de se souvenir de quelques répliques : « Si vous lui devez tant, ne me devez-vous rien ?... » ou « Tranchez le mot, Seigneur : je vous ai fait mon maître... » Elle ne retrouvait plus le nom de cette reine, une reine portugaise. Je lui promis de lui offrir le Théâtre complet de Corneille dans la Pléiade. « Oh oui, fais-le, ça m'amusera. Et tu te souviens des *Djinns* ? » J'avais appris le poème de Victor Hugo pour un concours de diction au collège. Je croyais que je l'avais étudié avec mon père. Mais non, elle en était sûre, c'était elle qui m'avait fait répéter. *C'est l'essaim des Djinns qui passe...* Tandis que le feu mourait dans la cheminée, nous reconstituions le poème par bribes. *Quel bruit dehors !... Hideuse armée de vampires et de... dragons... Les Djinns funèbres, fils du trépas, dans les ténèbres... pressent leurs pas...* Je me levai pour aller mettre une nouvelle bûche sur les chenets. Maman me rappela qu'une des meilleures notes que j'avais eues pendant mes études, c'était pour une dissertation dont elle m'avait aidé à faire le plan.

Décidément, elle connaissait mieux que moi certaines parties de ma vie. C'est comme Delphine qui se souvient mieux que moi des dates de mes escapades avec telle ou telle fille (« Ta Melissa, c'était juste avant la naissance de Zoé »). Dans ma dissertation, j'avais commenté la phrase d'un homme d'esprit du XVIII<sup>e</sup> siècle qui affirmait que les scènes de confidences sont toujours préférables au monologue. Là où les autres élèves avaient foncé tête baissée dans l'éloge conventionnel du dialogue, je m'étais lancé dans l'éloge dithyrambique du monologue et j'avais obtenu dix-neuf sur vingt. « Tu vois, tu n'as pas changé, tu es toujours amateur de monologues. Je retrouve souvent le jeune homme que tu fus, et même le petit garçon, dans tes réactions d'adulte », avait constaté ma mère.

En 1939, jeune mariée, ma mère avait vu Georges Pitoëff interpréter Trigorine dans *La Mouette*! Connaît-on jamais la vie de ses parents? Est-ce qu'on ne passe pas notre vie à passer à côté de celle des gens qu'on aime? C'était un peu triste de songer à cela, mais ce n'était pas faux. « Pitoëff était malade, continuait ma mère, un peu voûté, il jouait au

ralenti, c'était très impressionnant. Son médecin avait voulu lui interdire de jouer la pièce
d'Ibsen, celle dont le personnage principal
s'appelle Stockmann, je ne retrouve plus le
titre. Pitoëff arriva dans le cabinet du médecin
avec un revolver et il lui dit : Je me tuerai si
vous voulez m'interdire de jouer Stockmann !
Il en aurait été capable. Ton père connaissait
bien un des intimes du ménage Pitoëff qui le
lui a raconté à l'époque, c'est vieux tout ça. »

Quand j'avais vingt ans, Maman m'avait
emmené voir Pierre Brasseur et Maria Casarès
dans *Cher Menteur*. S'en souvenait-elle ? Bien
sûr qu'elle s'en souvenait et même qu'après on
était allés manger tous les deux des huîtres au
Pied de Cochon, ce que j'avais oublié. « Nous
avons fait beaucoup de choses ensemble », me
suis-je dit le lendemain matin en m'endormant
et en l'écoutant qui se levait. Elle tirait des
chaises sur la terrasse et lançait ce que je sup-
posai être la carcasse de notre poulet rôti de la
veille à Milou, l'épagneul des fermiers voisins.

Je n'ai jamais eu de chiens, je les aurais ren-
dus insomniaques ! Mais j'ai retrouvé les photos que j'ai prises de Acuto, un boxer qui se
conduisait comme le maître des lieux dans une

maison où j'ai logé à Florence. Il venait me
réveiller. Je l'ai connu pendant une semaine et
cela m'a suffi pour l'aimer à jamais. Alors que
Delphine et moi venions d'arriver et que nous
étions sortis dîner dans un restaurant pas très
loin, Acuto vint nous rejoindre, ou plutôt nous
chercher. Je fus bouleversé par cette démonstration – démonstration de quoi, d'ailleurs ?
Comment retrouva-t-il nos odeurs parmi celles
des rues de Florence, une ville si polluée l'été ?
Au restaurant, il ne réclama rien, il s'assit et
attendit que nous ayons fini de manger. Nous
nous sommes promenés tous les trois et nous
sommes rentrés. Une vieille dame nous rece-
vait dans cette maison et insistait pour que
nous restions quelques jours de plus. Je crois
bien que Acuto, lui aussi, aurait aimé que nous
restions. En regardant les photos, je ne me
souvenais pas que la vieille dame fût si vieille
et si menue, mais Acuto est exactement celui
dont je me souviens. C'est drôle, dans cette
très belle maison, presque un palais, où nous
étions en quelque sorte des intrus (les propriétaires ne savaient pas que nous étions là,
ils avaient prêté la maison à une de nos amies
qui nous avait invités et qui avait dû par-

tir avant nous), la vieille dame et Acuto étaient
des intrus eux aussi. En tout cas, on les avait
plantés là. Ils attendaient la fille unique de la
vieille dame, qui téléphonait tous les soirs
d'Angleterre pour reculer la date de son
retour.

Le mois écoulé, je rentrai à Paris avec mes
encres et une cinquantaine de pages du monologue de la confidente de Mme de Pompadour, laissant au prieuré tous les livres que
j'avais descendus pour un travail qui n'avait
pas eu lieu, mon best-seller avorté, une vie de
Charlemagne racontée par ses fils, une sorte
de préfiguration du roman sur mon père et
moi, que je réussirai à terminer douze ans plus
tard. Je regrettai de devoir abandonner toute
cette documentation, je me séparai des livres
un à un au moment de les remettre dans le
carton qui devenait leur sarcophage, les gar-
dant encore un instant entre mes mains, des
livres qui n'avaient rien à voir avec Charlemagne et le règne le plus glorieux de toute

l'histoire du Moyen Age, rien à voir avec
cet empereur père d'une vingtaine d'enfants
connus, mes narrateurs, rien à voir avec les
femmes de Charlemagne, Himiltrude ou Her-
mangarde, rien à voir avec les rapports si pas-
sionnants entre le monarque d'Aix-la-Chapelle
et le calife de Bagdad ou les musulmans de
Fez. Tout à voir avec moi, le fils chéri de
Marie Weyergraf, née Lapidès. Les filles de
Charlemagne, l'avouerai-je, avaient fini par
m'attirer plus que leur père. Des chroniques
allemandes n'en disaient pas assez sur ces
jeunes femmes qui causèrent du scandale dans
le palais paternel par leurs désordres.

Ma mère lirait-elle quelques-uns des livres
que je lui laissais ? J'ai fait une petite pile
sur la table de la chambre : Marie Seton,
*Eisenstein* (collection « Cinémathèque » au
Seuil). Louis Wolfson, *Le Schizo et les langues.*
Agrippa d'Aubigné, *Sa vie à ses enfants.* Baudelaire, *Juvenilia, Œuvres posthumes, Reliquiae*
(3 volumes). Henri Mondor, *Vie de Mallarmé*
(827 pages). Cazotte, *Le Diable amoureux.*
H.G. Wells, *Une tentative d'autobiographie.*
G.-K. Chesterton, *Le Défenseur.* Henri Massé,
*Anthologie persane.* Arnim, *Isabelle d'Egypte.* Mau-
rice Catel, *Traité du participe passé.*

Dans ma bibliothèque actuelle, je possède *Jim Davis* de John Masefield. Sur la page de garde, je peux encore lire : « A mon petit François, Maman. Juillet 1950 ». Je n'ai jamais réussi à lire ce roman jusqu'au bout, ce fut longtemps une source de remords quand j'avais neuf ans, l'âge auquel je le reçus. J'avais été vexé. Maman m'offrait un petit livre mince, paru chez un éditeur de rien du tout, chichement illustré en noir et blanc, imprimé sur du mauvais papier, alors que j'en convoitais tant d'autres, plus beaux, plus grands, plus lourds. Et cet ouvrage plein de gardes-côtes et de contrebandiers est le seul livre que j'ai conservé de tous ceux qui me sont passés entre les mains quand j'étais petit. A le feuilleter aujourd'hui, on dirait du Robert-Louis Stevenson en moins bien. Masefield fut un grand ami de W.B. Yeats, un de mes auteurs préférés, et il publia, lorsque Yeats mourut, un livre de souvenirs sur son ami et une élégie dont je reprendrais volontiers le titre si j'étais un écrivain anglais et que j'écrive à propos de quelqu'un que j'aime et qui viendrait de mourir : *Oh, what he was.*

# 5

Le temps file. Il me faudrait mille vies. Un jour, j'écrirai un roman dans lequel il n'y aura pas d'êtres humains ou bien je pourrais raconter la vie d'une pierre ou d'un érable dans un chapitre de *Volcano*, d'une pierre d'origine volcanique qui serait transportée à travers les siècles dans différents jardins japonais. Des lecteurs, des gens que je n'ai jamais vus, à qui je n'ai jamais parlé, viendraient me dire : « La pierre, c'est vous, n'est-ce pas ? » On croit toujours que c'est moi dans mes livres. Même Delphine ignore qui je suis parfois. Dans le chapitre sur la pierre, de grands seigneurs se battraient pour la posséder. Il y eut souvent mort d'hommes au Japon pour la possession d'une telle pierre. On donnerait des concerts

en présence de la pierre et pour elle. J'étudie-
rais la mentalité de ces orgueilleux seigneurs
dans le Japon féodal, capables de lever une
armée pour s'emparer d'une pierre rarissime,
une mentalité que je comprends. J'ai rapporté
une pierre du Japon, paisiblement négociée
avec un antiquaire de Kyoto. Elle a vingt-cinq
centimètres de haut, sur un socle en bois de
sugi. Quand je reçois des avis de saisie-
exécution de la part des huissiers qui s'inté-
ressent à moi, je l'enlève du socle et la
camoufle sur ma table en presse-papier rus-
tique. Elle est noire avec une longue veine
blanche qui fait songer à une cascade. Je la
regarde en réussissant à entendre le bruit de la
cascade, oublieux de toute activité de pensée,
renonçant, comme le souhaite un maître zen, à
vouloir préparer du riz en cuisant du sable. En
Provence ou dans les Cévennes, j'ai ramassé
de nombreuses pierres au bord des cours
d'eau. J'offre volontiers des pierres. Sur un
galet ovale et blanc comme de l'ivoire, trouvé
à Tegernsee, j'ai écrit à l'encre de Chine : « Je
t'aime » avant de l'offrir à Delphine. Elle le
garde dans son sac.

Et mon livre sur les chaises ? J'y pense
depuis le jour où Delphine, qui n'entendait

aucun bruit en provenance de ma pièce, vint frapper à la porte et, comme je ne répondais pas, elle s'affola et ouvrit, pour découvrir l'homme qu'elle aime assis et dormant d'un sommeil de plomb. D'après Delphine, je ressemblais à quelqu'un qui vient de tomber en catalepsie, les omoplates arc-boutées au dossier en hêtre naturel d'une chaise achetée chez Habitat. Mon visage évoquait un masque tibétain grimaçant de douleur. Quelqu'un a-t-il prié l'esprit de ce hêtre avant de l'abattre ? A-t-on dit à l'esprit de cet arbre qu'il pourrait reposer dans l'armature de ma chaise ? Visiblement non, et c'est moi qui trinque – moi et Delphine. Que la direction d'Habitat envoie ses designers au Ghana où ils apprendront que la fabrication d'un siège est un travail sacré. A la mort d'un roi achanti, sa chaise préférée était illico mise à l'abri dans le Temple des Chaises, un nom que ne mérite pas Habitat. L'âme du roi trouverait la paix éternelle dans cette chaise. Je renonce à la paix éternelle mais je n'ai pas acheté ma chaise pour qu'elle me plonge – c'est la vengeance du hêtre – dans un sommeil profond qui terrifia Delphine. Delphine m'a dit : « Va te mettre au lit, ce n'est pas sérieux.» Elle referma la porte de la chambre en s'assurant que je m'étais allongé sous la couette. Dans le livre sur les chaises, je commencerai par rappeler cette phrase qui énerve tant les enfants : «Arrête de te balancer sur ta chaise, tu vas tomber!» Je ferai revivre l'époque où Richelieu demanda qu'on remplace les bancs par des chaises dans les salles à manger, j'analyserai l'obligation de se lever quand une femme entre dans la pièce où l'on est assis. Pardon, Delphine, de ne pas m'être levé quand tu entras dans ma pièce, mais tu l'as constaté, je dormais. Depuis, j'ai installé un futon. Je le déroule au milieu des piles de livres qui encombrent le parquet quand j'ai envie de faire une sieste en pleine nuit.

J'ai aussi le projet d'écrire un essai sur l'érotisme en littérature, un livre que j'espère biscornu, une histoire de l'érotisme écrit (*Histoire de l'érotisme tel qu'il s'écrit*) avec beaucoup de citations. Je me cantonnerai dans la littérature française, plus facile d'accès, en regrettant de me priver des merveilles qui pullulent partout ailleurs sur la planète, dans les caves du Potala aussi bien que celles du Vatican où on ne me permettra jamais de fouiller à mon aise. Je voudrais que ce projet, auquel je pense depuis plus de quinze ans, devienne celui du personnage principal dans le roman dont je parle parfois sous le titre *Coucheries*. Ce personnage, que j'appellerai cette fois François Weyerbite tant qu'on y est, paie des hôtels où il entraîne des petites avec l'argent reçu pour écrire ses *Coucheries*. J'ai commencé à prendre des notes en lisant la correspondance de Flaubert et le Journal de Stendhal. A trente ans, Flaubert est en Italie. De Venise : « Aucune fouterie. » De Rome : « Je suis très chaste. » De Naples : « J'ai passablement baisé à Naples. »

Stendhal a dix-neuf ans et parle d'une Mme Genet « dont j'ai envie depuis qu'on m'a dit qu'elle était charmante en lui faisant ça en levrette ». D'une autre femme : « Je l'aime depuis que je la considère comme foutable. » Ailleurs : « A l'exception de *the D. of R.* (que j'enfile une fois par semaine), je suis chaste comme un diable. Aussi je grossis. » D'une Lyonnaise : « Je crois que nous nous serions eus avec plaisir. » Il y en a plein comme ça.

Je viens de retrouver une lettre que je n'ai pas finie. Elle date de l'année dernière. Je ne sais plus à qui je comptais l'envoyer. Parfois je

commence des lettres sans savoir qui la rece-
vra, et tout à coup une phrase arrive qui me
fait penser à une personne précise. Ce début
de lettre pourrait être un début de livre : « La
semaine prochaine, j'aurai cinquante-deux ans.
Comme je ne m'attends pas à en avoir vingt-
trois, ce ne sera pas une surprise. » Je n'arrive
pas à déchiffrer la suite. Je devine le nom de
saint Bernard, plus loin il est question du Paradis terrestre, et je lis quand même : « Après
huit jours au Paradis terrestre, à mon avis il n'y
a plus qu'à se flinguer. » Au verso, je retrouve
un projet de résumé de *Trois jours chez ma
mère* qui devrait m'intéresser : « Un homme
très désemparé décide, le jour de ses cinquante
ans, d'annuler tous ses rendez-vous afin de
savoir où il en est. Il souhaite changer de vie,
de métier, de femme, de ville et même
d'époque. »

Un homme très désemparé ? Bel euphé-
misme ! Aujourd'hui, il rendrait caduques les
échelles que décrivent mes livres de médecine,
l'échelle de ralentissement, l'échelle de dépres-
sion, l'échelle de désespoir (de zéro à 6, celle-
là). Mon personnage a effectué un parcours
apparemment classique : le passage de la

tristesse occasionnelle au découragement permanent. Autres questions à poser à cet homme désemparé : Nombre de rapports sexuels ayant abouti à un orgasme ? Combien par semaine ? Et la satisfaction de votre partenaire selon vous, notez-la de zéro, *nulle*, à dix, *parfaite*. Avez-vous peur de la foule, du noir, des ascenseurs ?

Est-ce que tout cela est homologatif ? Je ne sais pas ce que veut dire « homologatif », le mot vient de surgir dans ma tête. C'est un mot qui n'existe pas. C'est comme « playboyite » qui m'est venu l'autre soir. Un néologisme weyergrafien. Ma mère m'avait dit au téléphone qu'elle redoutait d'avoir une phlébite et, en me réveillant, j'ai entendu dans ma tête la phrase suivante : « Il vaut mieux une playboyite qu'une phlébite. » Mon inconscient me propulsait directement dans les bras d'une fille de *Playboy* plutôt qu'à l'hôpital au chevet de ma mère. Pour une fois, je suis pleinement d'accord avec lui. « Thrombose » est plus juste que « phlébite », ou alors « thrombophlébite », me suis-je dit en tant que client assidu de la librairie Maloine.

Playboyite, c'est une autre paire de manches. Pourquoi ne pas en parler dans

*Coucheries*, qui serait co-édité par Playboy Enterprises Incorporated? De même que phlébite se dit en anglais « phlebitis », le chapitre s'appellerait « Playboyitis », comme un nom donné à une orchidée. La clé de ce livre sera ce que le XVIII$^e$ siècle et Diderot dans son *Encyclopédie* appelaient la manstupration, un substantif qu'en 2002, avec l'intuition un peu bête qui le caractérise, le correcteur d'orthographe du programme Word sur mon ordinateur propose de remplacer par « manutentionner »... Littré aussi ignore le mot manstupration et donne à la chose l'étiquette « genre de libertinage solitaire ». Quand je voyais Monsieur Laloux, qui était veuf, s'attarder en classe longtemps après les heures de cours, toujours disposé à aider un élève, nous disant de ne pas hésiter à l'appeler chez lui, proposant bénévolement des cours de rattrapage aux moins brillants, j'en conclus que sa vie sentimentale devait se réduire à la masturbation, ce péché auquel je n'arrivais pas moi-même à renoncer. Une des questions que je me posais, outre la bonne façon de traduire un verbe comme *complector* que Virgile applique aussi bien aux gestes amoureux qu'à l'étreinte

138

des combattants, ou de savoir quel âge avait Molière à la naissance de Racine, c'était : « A quel âge arrête-t-on de se masturber ? » J'en avais parfois marre d'être contraint de découdre la poche droite de mes pantalons — sans compter que je risquais d'être démasqué par ma mère — afin de retrouver plus vite, en classe ou dans la rue, mon accaparant partenaire et, comme l'écrivait Diderot, de m'expédier à la façon de Diogène. J'attendais vivement, toujours approuvé par Diderot, de confondre mes sens et mon ivresse avec les sens et l'ivresse d'une compagne que mon cœur se choisirait. Diderot me soufflait à l'oreille : « En attendant, pourquoi t'interdire ces instants nécessaires et délicieux ? Comment serais-tu coupable d'aider la nature lorsqu'elle appelle ton secours par les symptômes les moins équivoques ? » Ma religion était faite : on se masturbe jusqu'à ce qu'une femme surgisse et vous arrache à la solitude comme Senta dans *Le Vaisseau fantôme*, un opéra qui commence en ré mineur et finit en ré majeur, m'avait fait remarquer Monsieur Laloux en me prêtant le coffret d'un enregistrement avec Astrid Varnay. Et quand on devient veuf, eh bien, on se masturbe. Je vivrais toute ma vie avec une femme qui mourrait après moi et me ferait bander à mort jusqu'à ma mort. Je ne savais pas alors que les couples s'usent comme de vieux tapis, ni que des couples restent ensemble comme des invités qui sont là, chez vous, à vous assommer sans comprendre qu'il est temps de partir. Je n'avais pas prévu non plus qu'une femme amoureuse me demanderait un jour de me masturber pendant qu'elle me parlait au téléphone, que d'autres souhaiteraient que je le fasse tout en lisant leurs lettres. Je raconterai comment un homme qui vit la nuit n'a plus envie de réveiller sa femme et se met à se masturber à trois heures du matin en téléphonant à des boîtes vocales à la recherche de voix de suceuses, de partouzardes, de dominatrices, des voix de femmes dont le timbre lui rappelle tant bien que mal celui de la sienne même si elles ânonnent des textes enregistrés qu'il pourrait réécrire, même si sa femme aurait trouvé mille fois mieux à lui dire pour qu'il bande, ce qu'elle avait tant de fois fait.

Revenons au résumé de mon roman. Un homme très désemparé, donc, et un homme qui se masturbera beaucoup plus que moi. Sait-il, cet homme, qu'il faut s'attendre aux plus déplaisantes rencontres dès qu'on se risque à descendre dans les bas-fonds qu'on abrite à l'intérieur de soi? Est-il prêt à s'attendre à tout, au meilleur et au pire, et plutôt au pire, préciserai-je? Bien sûr. Notre grand garçon ne vient pas d'avoir cinquante ans pour rien. Il lui arrive aussi d'être heureux, même si ce n'est pas tous les jours. J'ai envie de lui dire : la vie ne vaut pas que tu réfléchisses sans fin sur elle comme tu fais. Analyses-tu la grappa que je te vois boire? Tu avales vite et tu t'endors après, voilà tout.

Je ne tiens pas à me souvenir de mes romans. Ni les anciens ni les prochains. Je reçois des lettres d'étudiants qui ont commencé une thèse sur moi et qui m'appellent à la rescousse. Je refuse toujours de rencontrer ces étudiants et professeurs qui veulent que je fasse le travail à leur place, sauf une fois. Elle s'appelait Cordula, elle arrivait de Munich. Elle m'a bien eu avec son prénom. Au premier étage du Flore, je suis tombé sur une ravissante Bavaroise, future enseignante, qui ouvrit devant moi, dans l'ordre chronologique de leur parution, tous mes livres dont presque chaque page était impitoyablement recouverte de flèches qui traquaient les pulsions libidinales de leur auteur. J'aurais voulu que ces livres, à peine masqués par la bouteille de vin que j'avais commandée à cet effet, se volatilisent sur-le-champ. J'étais honteux de les voir là. Je me félicitai de ne pas en avoir publié davantage.

— Monsieur Weyergraf! Melanie Klein a établi que les inhibitions à l'âge adulte proviennent du désir infantile d'éclipser et de détruire la fécondité de la mère. Qu'en pensez-vous?

Le sujet de sa thèse était *Présence et absence de la mère dans les romans de François Weyergraf*. Quand elle voulut savoir de quoi parlerait mon prochain roman, je me suis réfugié derrière ma biographie de Charlemagne. Elle se prenait pour un détective privé. Je n'aurais pas été surpris qu'elle me demande des honoraires et une provision pour ses frais : « Racontez-moi tout depuis le début. » J'essayai de lui dire que j'avais eu la chance, enfant, d'être impressionné par deux sortes de spectacle : la messe et le cirque. Elle ne m'écoutait pas. J'aurais pu

142

le lui dire en allemand : « *In meiner Kindheit hatte ich das Glück, sehr oft in den Zirkus und zum Gottesdienst zu gehen.* » C'est de ça que je voulais parler, pas de ma mère. J'aurais fini par ajouter que c'était ma mère qui m'emmenait au cirque et à la messe. Je nous revois en hiver, quittant tous les deux la maison où les autres dormaient encore, pour arriver à temps à la messe de sept heures du matin que je devais servir. A la communion, dès que le prêtre sortait l'hostie du ciboire, je plaçais la patène sous le menton de ma mère qui ouvrait la bouche et fermait les yeux, des choses dont elle se moque à présent mais qui nous rendirent complices. Quant au cirque, elle m'a dit récemment : « Ne mets pas de clowns dans ton prochain livre, ça fait que les gens ne te prennent pas au sérieux. » Ce que je pourrais écrire, Maman, c'est ce fameux jour du Vendredi saint, tu t'en souviens ? Cette année-là, Pâques avait dû tomber tard, en tout cas il faisait très chaud, je pourrais retrouver la date, je devais avoir dix ans. Mes sœurs étaient en vacances chez des amis à la mer. J'étais parti devant, vous me rejoindriez à l'église avec Papa. En chemin, je croisai la charrette bario-

lée d'un marchand de glaces. Le jour anniversaire de la mort de mon Sauveur, résisterais-je
à cette incitation au péché de gourmandise?
Grâce à l'argent que tu venais de me confier
pour la quête, je m'achetai une glace à deux
boules, pistache et fraise. En ajoutant un peu
de mon argent de poche, j'aurais pu prendre
trois boules, mais on était quand même Vendredi saint, le jour de jeûne par excellence.
Avant de pousser les portes du tambour
d'église, j'attaquai la gaufrette du cornet, sans
rien perdre de la glace qui avait commencé à
fondre, lorsque je vous vis apparaître, Papa et
toi. J'avais commis à mes yeux un délit
d'imprudence, aux vôtres un crime. Papa n'a
plus voulu me parler pendant des jours et il a
annulé mon abonnement au journal *Tintin*.
Tous les jeudis, sans que j'aie à le demander,
tu m'as donné en cachette l'argent pour que
j'achète *Tintin* au numéro. Beaucoup plus tard,
quand je trouverai dans un livre de Papa le
mot « xérophagies », qui définit les six jours de
jeûne de la Semaine sainte pendant lesquels on
se nourrissait exclusivement de pain, de sel et
d'eau, je comprendrai mieux que le cornet de
glace de son fils l'ait traumatisé.

Si j'allais voir un psychanalyste, si je me décidais à en consulter un – ce qui n'arrivera pas, sinon ce serait déjà fait –, si je replongeais dans cet univers-là, mi-Apocalypse mi-Foire du Trône, un univers que j'ai bien connu quand j'avais à peine plus de vingt ans et toutes mes dents, si je refaisais ce qu'ils appellent, comme des maîtresses de maison vous proposant de finir le gigot d'agneau, « une petite tranche », voici plus ou moins ce que je dirais, ce que je crois que je dirais, à cette réserve près qu'on ne peut pas prévoir ce qu'on va dire ni ce qui vous guette pendant une séance d'analyse... Je commencerais par dire quoi ? Je parlerais du fait que je ne publie pas assez. L'inhibition, ça les connaît. Léonard de Vinci, déjà... Je veux être analysé par une femme qui serait plus jeune que moi, comme dans *Lovesick*, un film oublié de Marshall Brickman qui fut aussi le coscénariste de *Annie Hall* (quand *Annie Hall* sortit, des amis me dirent que le film leur avait rappelé mon premier roman publié quelques années plus tôt), oui une analyste amoureuse de moi comme dans *Lovesick* où un analyste tombe amoureux de sa patiente, moi ce serait le contraire et

145

comme j'aimerais que ma future analyste ressemble à l'actrice qui interprète la patiente
dans *Lovesick*, l'attirante Elizabeth McGovern
même si elle n'est pas tout à fait mon genre,
un film où le fantôme de Freud est interprété
par Alec Guinness et où John Huston apparaît
en psychanalyste désabusé pour signaler les
dangers d'une love affair with a patient, un
film où analyste et patient promptly go to bed
après une scène de douche devenue floue dans
mes souvenirs mais je dirai tout de go à ma
future analyste que je préfère la douche au
divan.

Je me réveille à minuit et je crois qu'il est
sept heures du matin. J'écoute un opéra de
Donizetti, *Maria Stuarda*. J'aurais tant voulu
vous connaître, Gaetano Donizetti! Nous
nous serions rencontrés à Paris où vous avez
dirigé un théâtre. M'auriez-vous demandé de
vous écrire un livret d'opéra? Dans les rues de
Bergame, votre ville natale, où les bourgeois
vous trouvaient plutôt bizarre (sur une
pochette de disque, j'ai lu : « frappé d'aliéna-
tion mentale »), les promeneurs s'inclinaient
sur votre passage. Je vous aurais rejoint. Je
serais arrivé par le train. Vous auriez tenu à

venir m'attendre à la gare et nous serions
montés dans un fiacre. Vous auriez porté un
chapeau de soie que vous auriez soulevé
chaque fois que je vous aurais nommé ceux
qui vous applaudissaient le long du chemin :
« Et celle-là, avec ses joues rebondies, qui est-
ce ?

— C'est la fermière de votre *Elixir d'amour*,
c'est Adina.

— Ah oui, Adina. Elle est toujours
vivante ? Pourquoi cet homme me regarde-
t-il ?

— Mais c'est Lord Henry Ashton de Lam-
mermoor.

— Vraiment ? Je le croyais en Irlande.
Francesco, vous me racontez des histoires. Ce
n'est pas Lord Ashton, c'est mon pharmacien,
il a sa boutique derrière la Piazza Vecchia.
Vous vous moquez de moi. Alors, vous aussi
vous croyez que je suis fou ? Mais vous avez
raison, c'est bien Lord Ashton. Retournons-lui
son salut. Greetings ! Greetings ! J'ai composé
tant d'opéras... Trois ou quatre par an. Je ne
peux pas me souvenir de tous mes personnages. Greetings, my Lord !

— Maestro Donizetti, je vous ai trouvé
parfait lorsque j'ai appris ce que vous avez dit

à propos de votre confrère Rossini qu'on trai-
tait de fieffé menteur parce qu'il jurait avoir
composé son *Barbier de Séville* en treize jours
seulement. Vous avez répondu : « Treize
jours ? C'est bien possible. Il est si paresseux. »

6

*Relax! I play my mambo!* C'est le disque que
je suis en train d'écouter. Une fois de plus, je
suis obligé de mettre de la musique pour ne
pas entendre celle des autres. Il est deux
heures vingt du matin et nos voisins de palier
donnent une fête. Ils ont scotché ce matin
sur la porte de l'ascenseur un mot dont l'élégante mise en page, due à un programme
d'ordinateur, contraste avec l'insolence mépri-
sante du texte : « Oyez oyez chers voisins !
Ce samedi soir, une fête a lieu chez nous, ce
qui aura pour effet de produire une aug-
mentation du volume sonore dans notre cher
immeuble, jusqu'à une heure qui s'annonce
très tardive. Nous nous excusons de la gêne
occasionnée. Nous vous souhaitons néan-

moins une excellente soirée. Tissot and C°, quatrième droite. »

Quand fut lancée la Fête de la Musique, j'avais écrit un article : « Le vrai courage politique serait de créer une Fête du Silence. » J'aurais dû dire : « Pas de fête du tout serait encore mieux. » Oyez ! Je me suis fait toute une collection de ce genre de mots. Je les décolle dans l'entrée de l'immeuble et les range dans une chemise vert pomme que j'appelle « Vacarmes variés » où ils rejoignent mes notes sur tout ce qui peut empêcher quelqu'un de dormir et de travailler, par exemple sur le perroquet plus hurleur que parleur qui prit pension l'été dernier chez mon concierge : « C'est un lori de Nouvelle-Guinée », m'annonça-t-il sur le ton de joie éclatante d'un philatéliste qui vient d'acquérir un timbre rare. Ce charmant concierge, ancien professeur de gymnastique à Sarajevo, un homme au cou de taureau, n'avait qu'une idée en tête, apprendre à son lori *Que je t'aime*, la chanson de Johnny Hallyday, un disque que je lui avais offert quand il m'avait dit que Johnny était son chanteur préféré, sans me douter le moins du monde de ce qui m'attendait. Les leçons que vous donne la vie

150

sont dures, j'ai appris qu'il vaut mieux ne pas offrir de disques à son concierge. Il sortait les poubelles en fredonnant *Quand c'est moi qui dis non, quand c'est toi qui dis oui* et le perroquet, mis en verve sur son perchoir dans la cour à six heures moins le quart du matin, enchaînait *Que je t'aime ! Que je t'aime !*

Oyez oyez, je n'entendrai plus le perroquet océanien qui ne fut pas appelé Loulou comme celui de Flaubert : « Il s'appelait Loulou. Son corps était vert, le bout de ses ailes rose, son front bleu, et sa gorge dorée. » La psittacose a eu raison de son verbiage. Pendant des jours, un concierge affligé sortit plus lentement les poubelles. J'ai un ami dont la chatte est morte à l'âge de dix-huit ans et il continue par réflexe de lui acheter des boîtes quand il va chez Franprix. Une amie m'a dit : « Si je meurs avant mon chien, promets-moi de mêler mes cendres à sa nourriture, que je puisse un peu survivre en lui. » Je lui ai dit qu'elle était timbrée. J'ai fait la connaissance il n'y a pas longtemps d'un jeune carlin, Jojo que je surnomme « Petit Patapouf », ce qui a l'air de lui plaire.

Ours vient de mourir. Ours, un grœnendael au pelage d'un noir intense, est avec Acuto le

151

seul chien que j'aie aimé. Lui aussi me léchait les joues pour me réveiller, dans cette maison d'Avignon où il aboyait devant les couleurs stridentes d'une aquarelle de Miró au mur de la chambre d'amis. Ours est mort en septembre, au-dessus de Chamonix. La neige était si proche, à trois cents mètres peut-être, c'était tôt pour la mi-septembre. Pendant son agonie, les oreilles dressées, il passait sa langue sur ses gencives, par petites saccades, comme quand il était content. J'étais là. Lorsque nous l'avons enterré, un dernier rayon de soleil passa sur le prunier au pied duquel « il dort », avait dit Alexandre, son... Son quoi ? Est-on le maître d'un chien ? Des vaches s'approchèrent de la tombe. Dans la paix du soir, leurs cloches sonnaient comme un glas. Alexandre m'a envoyé une lettre avec un dessin de son chien. Il reparle des vaches : « Elles viendront souvent. Ours est à la meilleure place, là où la vallée est accueillante et herbeuse. J'y suis retourné ce matin. Une vache noire était couchée près de lui. Quelques prunes étaient tombées. On dit qu'elles feront une bonne eau-de-vie cette année. » J'ai lu cette lettre à Delphine, je lui ai montré le dessin. Elle m'a dit : « Toi, tu n'as rien écrit sur la mort de Pruneau. Il aurait mérité un poème de ta part, un vieux compagnon comme lui, qui t'a vu écrire tous tes livres, couché sous la lampe à côté de ta machine à écrire. » Il donnait même des coups de patte sur les touches pour me rappeler à l'ordre quand je rêvassais au lieu d'écrire. Pruneau aimait beaucoup les poèmes de Guillaume Apollinaire. Je lui en faisais la lecture. Il fermait les yeux quand je disais *Les jours s'en vont je demeure.*

J'ai apprivoisé des lézards, un bébé hérisson rapporté d'un voyage scolaire et une chauve-souris que j'ai cachée dans le tiroir de ma table de nuit pendant tout un été, quand j'avais huit ou neuf ans. Mes sœurs venaient l'admirer et me prêtaient les biberons de leurs poupées pour que je puisse lui donner du lait. Nous l'avions baptisée Noisette à cause de sa petite taille et de sa couleur. Quand ma mère la découvrit, elle l'enveloppa dans un torchon et lui rendit je ne sais quelle liberté, puisque Noisette revint le soir même dans ma chambre dont j'avais laissé la fenêtre ouverte, quitte à braver moustiques et papillons de nuit. Les chauves-souris portent de plus beaux noms en latin, des noms qui font penser à la nuit qui tombe et aux étoiles. La langue latine avait un vocabulaire plus subtil que celui des langues occidentales actuelles pour parler de la nuit. Je n'ai pas oublié l'adjectif *noctivagus*, « qui erre la nuit », ni que le sommeil était appelé *noctivagus deus*, le dieu qui erre la nuit.

Hier soir, dans une des rues de Paris qui, derrière le jardin du Palais-Royal, vont jusqu'à l'avenue de l'Opéra et les Grands Boulevards – c'est la promenade préférée de Delphine, nous l'avons souvent faite ensemble –, on aurait pu me surprendre en train de parler tout seul à haute voix, comme ces passants perturbés ou imaginatifs qui se multiplient dans les villes, récriminant contre leur destin ou hurlant des menaces. Quand nous les croisions, nous les trouvions plutôt poétiques, mais Delphine constatait : « C'est triste, je me demande ce qui a pu leur arriver. » Si nous nous arrêtions devant la vasque de la fontaine Molière, je lui répétais que les deux muses sont de Pradier, un sculpteur que Baudelaire détestait, et je regrettais de n'avoir jamais rien écrit sur

Baudelaire. Nous arrivions au Palais-Royal :
« Tu sais qu'il s'est d'abord appelé Palais-
Cardinal et puis Palais-Egalité ?

— Comment pourrais-je l'ignorer, tu me
l'as dit cent fois ! »

Si Delphine m'avait aperçu hier soir rue des
Moulins, où se trouvait la maison close que
fréquenta Toulouse-Lautrec, et une heure plus
tard dans la rue qui me fait penser à l'Italie du
Nord, la rue des Colonnes, aurait-elle trouvé
triste de m'entendre dire à haute voix : « Je
suis un homme mis au pied du mur » ?

Elle aurait pu me voir arrêté devant une de
ces vitrines de pharmacies encombrées de
photos de femmes quasiment nues qui les font
ressembler à des entrées de sex-shop. « Oh
oui, toi, aide-moi ! » ai-je dit à la photo gran-
deur nature d'une souriante jeune fille en
bikini. Qu'aurait pensé Delphine de cet homme
aux yeux gonflés, l'air hagard, en train de parler à la photo d'une fille bien mieux roulée
qu'il n'était rasé ? Quand nous croisions ce
genre de types, je disais à Delphine : « Le
pauvre, en pleine psychose réactionnelle !
Réaction à quoi, on ne le saura jamais. » Une
caricature de diagnostic, bien sûr, mais ne

devrais-je pas me faire soigner ? Je pourrais au moins me raser. Dans la vitrine de la pharmacie, le fabricant du rasoir *Shave & Shape* soulignait qu'il faut être bien rasé pour avoir l'air mal rasé.

Depuis plusieurs jours, il m'arrive d'oublier où je viens de poser un stylo, une lettre, un livre. Un médecin me dirait de ne pas m'inquiéter : « Le stress, la fatigue... » Mais si c'était une porte entrouverte sur la démence ? Le dément se résigne à ses trous de mémoire mais moi pas, c'est rassurant. Le dément ne s'indigne plus, ne s'insurge plus. J'en suis loin. Du côté de ma mère, il y a eu un matelot qui s'est mutiné en 1919 en refusant de tirer le canon contre la république ouvrière de Crimée. C'est toute l'histoire, plus connue dans ma famille que dans les lycées, des mutineries de la marine française en mer Noire.

A brûle-pourpoint, pendant que nous laissions infuser notre thé, Delphine m'a dit : « Il en est où, ton roman ? » Certaines questions vous mettent au pied du mur. Elles peuvent être posées par le premier venu, quelqu'un qui s'assied à côté de vous dans un bar ou dans un avion, par un ami de longue date, par votre mère, par la femme avec qui vous vivez depuis plus de trente ans. Il arrive aussi que ces questions, on se les pose à soi-même. Tôt ou tard, elles déboulent sans préparation dans votre vie. Elles vous heurtent de front et il s'agira d'oser regarder la vérité en face. On se croyait à l'abri et il s'avère que non. Sale moment.

La question de Delphine me rappela celle de ma mère. La dernière fois qu'elle est venue à Paris, Maman voulut que je lui montre la pièce où je travaille et elle fut bien la seule à pouvoir se permettre de poser la question : « Tu me montres ton roman ? Où est-il ? » Elle voulait dire le manuscrit, ou le tapuscrit, bref, le texte. D'un geste embarrassé, je lui ai montré des pages qui traînaient partout, même par terre. Elle a compris en un quart de seconde que ce roman n'était pas aussi avancé que je l'affirmais. Je lui ai dit : « J'ai du mal à le finir. — L'as-tu commencé, au moins ? »

Dans cette pièce, j'ai préfacé plusieurs livres d'art, j'ai rédigé sur Le Caravage un assez long texte où je raconte ma découverte de son *Bacchus* à Florence par un jour de grande chaleur, la commotion que je ressentis lors d'un long face-à-face avec ce tableau où s'affiche

sans vergogne le désir de s'affirmer sans se
protéger, sans prendre de gants, de dire :
« Voilà, c'est moi, je suis à prendre ou à laisser. » J'ai aussi écrit quelque chose sur James
Ensor, un autre grand têtu qui me donna
d'utiles leçons de dérision. Pour finir ce texte,
je suis allé à Ostende et ce fut en m'arrêtant au
retour à Bruxelles que j'ai rencontré Katlijne
Moonen qui se présentait comme Amstelloda-
mienne et à qui je préférais dire : « Ma chère
Amstellodamoise. » Elle m'avait écrit quelques
mois plus tôt, souhaitant m'interviewer pour
une émission qui serait coproduite par une
chaîne hollandaise et la BRT sur la Nouvelle
Vague, où je lui aurais raconté les souvenirs
que j'ai gardés de Jacques Demy ou François
Truffaut, comment étaient reçus tous ces films
devenus célèbres depuis, *Les Quatre Cents
Coups, Les Parapluies de Cherbourg, Jules et Jim, Le
Mépris.* J'avais recopié le téléphone de cette
Mlle Moonen – sa lettre était très bien tournée
– et je lui donnai rendez-vous le soir même à
l'étage de La Chaloupe d'Or, un des cafés de la
Grand-Place. Je vis arriver une jolie blonde
aux yeux bleus, une grande bavarde qui, cinq
heures et quelques bistrots plus tard, dans un

appartement vide dont elle venait de déménager mais n'avait pas encore rendu les clés, me regarda dans les yeux et m'annonça qu'elle avait une question à me poser. Elle allait remettre sur le tapis son émission de télé! Je n'en voulais pas, de son émission. Je croyais avoir été clair.

— François, m'épouseriez-vous?

Au lieu de partir en courant, je me suis rapproché d'elle et nous avons commencé à nous embrasser. Nous avons fait l'amour cinq ou six fois par jour pendant une semaine. Je lui avais dit que j'en avais perdu l'habitude et elle me répondit : « Pas tant que ça! »

Je rentrai à Paris en lui promettant de revenir le plus vite possible. Cette histoire avec Katlijne est terminée depuis deux ans maintenant, et je pense qu'en la racontant elle mettrait un peu de peps dans le livre sur la mère : « J'ai envie de baiser avec d'autres hommes rien que pour jouir avec vous en vous le racontant », me proposa-t-elle très vite. A l'aide de ses lettres, je devrais arriver à construire un chapitre vertigineux. J'en étais arrivé à lui dire : « Trompez-moi, sinon je vous quitte. — Vous ne me quitterez jamais, que je vous trompe ou pas. De toute façon, je vous tromperai, ne vous faites pas de souci. » Je lui caressais les seins avec mon sexe en érection et elle murmurait : « Je voudrais que d'autres me fassent ça aussi. » Elle voulait que je me masturbe devant elle : « Jouissez en pensant que je suis dans les bras d'un homme qui vient de me faire jouir. » Et je jouissais. Pourquoi ne pas écrire tout de suite ce chapitre ? « Quand on agit sans délai, on réussit », déclare un sage chinois cité par un Japonais non moins sage, l'auteur du *Tsurezure-gusa*, qu'on a traduit par *Les Heures oisives* ou *Variété des moments d'ennui*, « un fouillis de réflexions, d'anecdotes et de maximes jetées pêle-mêle sur le papier durant cinq ou dix années », disait son premier traducteur français. Quand on agit sans délai, on réussit. Je ne veux plus mériter qu'on me dise : « Tu es quelqu'un qui rejette trop volontiers sur les autres la responsabilité de ton incapacité à écrire. »

J'ai déjà trois chapitres du récit avec la mère, où elle n'est qu'annoncée. J'ai même pensé à la page de titre. Imprimera-t-on « Trois jours chez ma mère, par François Weyergraf » ou, plus classique, mon nom et le titre en plus gros en dessous ?

# Trois jours chez ma mère

*roman*

## CHAPITRE PREMIER

### *Départ 14 h 24*

A la gare de Lyon, quand il sortit sa carte
de crédit de la machine qui lui délivra ensuite
un aller-retour pour Grenoble, une ville qu'il
connaissait à peine, François Graffenberg était
loin de pressentir ce qui l'attendait là-bas. Grenoble n'évoquait pas grand-chose pour lui.
C'était la ville natale de Stendhal qui s'était
empressé de la quitter à seize ans et qui écrivait encore à cinquante ans : « Je hais Grenoble. » Comment François aurait-il pu
deviner que deux mois plus tard, à la fin de
l'été, il serait devenu un habitué de l'Auberge
Napoléon, du Pèr'Gras – leur gratin dauphi-
nois, quel délice ! – du Berlioz et de quelques
restaurants italiens ? Comment aurait-il pu
deviner qu'il connaîtrait toutes les librairies de
Grenoble et la plupart des antiquaires de la
vieille ville, qu'il aurait offert à une jeune
femme qui avait l'âge d'être sa fille non seulement des fleurs et des colliers mais aussi des

guêpières et des bas résilles achetés à la Boutique Frisson et chez Atout charme ? Qu'il
l'aurait conduite au Lapin vert, un sex-shop
d'où ils étaient ressortis avec des boules de
geisha et des godemichés ? Qu'il aurait rencontré le père de la demoiselle, docteur ès
sciences, ingénieur en génie atomique, un
homme un peu plus jeune que lui ?

Ce soir, au Centre national d'art contemporain, 155 cours Berriat – peut-être le nom de
quelqu'un chez qui le jeune Stendhal avait
dansé toute la nuit pendant le carnaval ? –, il
devait assister au vernissage d'une exposition
des photos de son vieil ami Lütfi Ozkök, un
Turc d'Istanbul, un petit homme vigoureux,
chaleureux et démonstratif, très cultivé, qui ne
savait pas s'il était né à la fin du règne du dernier sultan ottoman ou au début de la République de Mustafa Kemal. Il éclatait de rire en
disant qu'il aurait bientôt « à peu près quatre-
vingts ans ». Il avait épousé Anne-Marie, une
Suédoise qu'il avait rencontrée en 1949 au Jardin du Luxembourg. Ils étaient venus tous les
deux suivre des cours de civilisation française
à la Sorbonne. Il était parti vivre avec elle en
Suède. Il écrivait des poèmes et traduisait en

turc des poètes suédois dont les éditeurs
d'Istanbul réclamaient la photo, il avait dû
prendre les clichés lui-même, c'était de la sorte
qu'il était devenu photographe. Il n'acceptait
de photographier que des écrivains. Quand
*Life* avait voulu des photos récentes de Samuel
Beckett qui venait de recevoir le prix Nobel,
Beckett leur avait dit : « Il y a un Turc à Stock-
holm, il a de très bonnes photos de moi. »
François avait repris ces anecdotes dans la pré-
face qu'il avait écrite pour le catalogue de
l'exposition.

Il comptait rentrer le lendemain, mais il
avait quand même fourré une dizaine de livres
dans son sac de voyage conçu plutôt pour des
amateurs de skate-board. Il avait aussi emporté
une chemise cartonnée qui renfermait les premières pages de son prochain roman, des
pages qu'il comptait corriger pendant la nuit à
l'hôtel.

Il se souvenait vaguement d'avoir dormi
une dizaine d'années plus tôt à Grenoble avec
Daphné, dans un hôtel en face de la gare. Ils
devaient prendre dans la matinée un train pour
aller voir la mère de François dans sa maison
en Haute Provence. Ils arrivaient de Lausanne
où ils avaient passé le mois de juillet dans un

appartement qu'on leur prêtait. Chaque matin, ils prenaient des trains pour Blonay, pour Yverdon ou pour Morges, ils partaient à l'assaut du paysage et, en fin de journée, s'ils en avaient encore la force, ils faisaient un bout du chemin de retour à pied en longeant le lac Léman. Les jours où ils se sentaient fatigués, ils prenaient des bateaux à vapeur à Lausanne-Ouchy pour Vevey ou Montreux et, après avoir déjeuné, ils passaient l'après-midi à lire et à discuter à l'ombre d'un parasol sur la terrasse d'un hôtel face au lac, ou bien ils naviguaient sur le lac de Neuchâtel, d'Yverdon à Estavayer-le-lac et retour. Le soir, avant de rentrer à l'appartement, ils achetaient une bouteille d'un bon vin blanc suisse. Ils buvaient un verre, ils faisaient l'amour et après ils finissaient la bouteille.

Son train partait à 14 h 24. Il était arrivé à l'avance pour le plaisir d'aller s'affaler devant un double expresso dans un de ces vieux fauteuils en cuir qu'il affectionnait depuis tant d'années au *Train Bleu*, un endroit qui avait le mérite de rester un des décors les plus somp-

166

tueux de Paris même si on avait réduit l'espace réservé au bar. Il n'avait pas retrouvé la table basse près de la dernière des immenses baies vitrées, au fond à gauche quand on entre par la porte à tambour, « sa table » à l'époque lointaine où il avait commencé à écrire son premier roman et venait au *Big Ben Bar* (un nom saugrenu dans une gare où on pense plutôt à la Méditerranée) pour prendre des notes et lire des journaux étrangers tôt le matin avant de rentrer se coucher tandis qu'arrivaient les trains qui avaient quitté Florence et Venise la veille. « Non seulement les trains de nuit, avait-il noté trente ans plus tôt, mais aussi les belles voyageuses, d'éblouissantes créatures embellies par la fatigue d'une nuit d'amour dans un wagon-lit entre Venezia-Santa-Lucia et Paris-Gare-de-Lyon. »

Il aurait bientôt soixante ans et depuis longtemps il ne prenait plus de notes sur les femmes qu'il croisait dans les bars. Pendant des années, il avait rempli des tas de carnets avec des descriptions de chevelures, de visages, de décolletés, de gestes gracieux, soi-disant pour s'en servir un jour dans un livre, mais quand il se relisait il était toujours déçu.

S'il avait confiance dans ses notes tant qu'il ne les consultait pas, elles lui faisaient l'effet d'une douche froide au moment où il leur demandait un peu d'inspiration. Elles ne restituaient jamais l'émotion qu'il avait ressentie et encore moins la source de cette émotion : une femme vivante qu'il avait eu la brève illusion d'arracher à l'oubli. D'ailleurs, les dernières notes qu'il avait prises ne concernaient que des hôpitaux, des suicides, des enterrements. Ce qui lui manquait, c'était le courage de les mettre en forme.

Il avait invité beaucoup de femmes au *Train Bleu*. Louise par exemple, qui, au lieu de dîner, avait préféré qu'ils aillent dans un des hôtels qui entourent la gare, « n'importe lequel, le premier ! » Elle le connaissait bien : si elle le laissait choisir, il hésiterait pendant une heure devant les façades. Il était amoureux d'elle depuis longtemps et il avait fini par lui dire : « Quand me prendras-tu pour amant ? » Ils avaient passé leur première nuit ensemble à l'hôtel Washington Opéra, rue de Richelieu, pas loin de chez elle. Pendant qu'il lui caressait les fesses, elle avait téléphoné à la baby-sitter pour savoir si les deux garçons s'étaient endormis sans problèmes. « Cette nuit doit être un point d'orgue », avait-elle dit au petit matin en enfilant sa jupe – il fallait qu'elle fût rentrée avant le lever de ses fils. Un point d'orgue ! Autant dire un point final. Mais « point d'orgue » pouvait aussi vouloir dire « apothéose », un sens que François jugea plus valorisant. Ils n'avaient couché qu'une dizaine de fois en tout et, devant son double expresso qui refroidissait, il s'étonnait de se souvenir si bien du corps de cette femme qu'il avait peu vue et sans doute beaucoup aimée.

Avait-il le temps de commander un verre d'alcool avant le départ du train ? Il n'avait pas bu une goutte de whisky depuis qu'on avait découvert un taux anormalement élevé de transaminases dans son sang. « Vous vous droguez ? Vous n'avez jamais utilisé de seringues usagées ? » lui avait demandé son médecin. Comme drogue, François n'avait pris que des tranquillisants, du Valium à haute dose ou un mélange de méprobamate, de chlorpromazine et de Dieu sait quoi d'autre, mais c'était il y a longtemps. « Le seul haschich que j'ai pris avec plaisir, avait-il répondu, c'est en lisant les *Paradis artificiels* ! » Il était capable de faire la

169

différence entre les whiskeys du Kentucky au goût vanillé et ceux du Tennessee, filtrés à travers du charbon de bois d'érable, mais il ne savait rien de ce qui distingue le cannabis de la marijuana ni la morphine de l'héroïne. Du jour au lendemain, il avait cessé de boire, avalant des litres de jus de légumes et de thé. Il perdit quelques kilos et devint expert en thés verts chinois, les thés en bourgeons et les thés en feuilles roulées ou torsadées. Le Dong Ding Wu Long et le Zhu Cha étaient ses préférés. Ses filles, Chloé et Sieglinde, lui offrirent pour l'encourager deux théières pourpres et un zong ancien en porcelaine d'un joli blanc bleuté.

Dès qu'un nouvel examen fit apparaître un taux de transaminases normal, François rangea ses coûteux ustensiles, délaissa le thé vert et se mit à boire du vin, citant une phrase que John Huston avait dite à la fin de sa vie : « Je ne regrette qu'une chose, c'est d'avoir bu du whisky au lieu d'avoir bu du vin. » Une phrase qui arrangeait bien François.

« Si John Huston l'a dit... », avait ironisé Daphné.

Dans son fauteuil de cuir râpé, quand le garçon lui avait apporté sa commande, un

Laphroaig 10 ans d'âge, il l'avait bu à la mémoire de John Huston, l'auteur de *Fat City*, un film qu'il regardait souvent en cassette. Il avait aussi pensé à Susan Tyrrell, qui est merveilleuse dans *Fat City*. Le pur malt ne lui procura aucun plaisir. Trop tard pour commander un verre de vin, l'heure du départ approchait et il n'avait pas vérifié si la voie du TGV pour Grenoble se trouvait en bas, devant le restaurant, ou s'il lui faudrait traverser la gare et courir dans la galerie des Fresques abîmée par les guichets et les boutiques. Il ne pouvait pas rater ce train. Le prochain ne partait que dans trois heures et Lütfi devait venir l'attendre à la gare. Il l'entendait déjà : « François, mon ami ! *Ey, dostum*! Finalement tu es venu ! *Ne var ne yok ?* » Serait-il accompagné de la commissaire de l'exposition, Juliette Chavoz ? Elle avait une voix si agréable au téléphone.

A peine était-il installé dans son wagon presque vide qu'on annonça la fermeture des portes. Il était heureux de partir, il n'avait pas quitté Paris depuis des mois, passant toutes ses nuits devant sa table de travail, la plupart du temps en proie au doute et aux inhibitions, ne parlant à personne. Les seules voix qu'il écou-

171

tait étaient enregistrées. Toutes ses nuits avec
Nat King Cole et les moines zen du Myoshin-ji!
Avec le pandit Jasraj, Oum Kalsoum, Isolde et
la Tosca. Avec Portia Nelson, Irene Kral, Feli-
cia Sanders, Julie Wilson, Jeri Southern, des
chanteuses dont il avait appris l'existence dans
*Intimate Nights*, un livre sur les boîtes de nuit
de New York dédié par son auteur « à mes
parents qui n'ont jamais mis les pieds dans une
boîte de nuit ». Quand il en avait assez des
voix, il écoutait du piano.

## CHAPITRE II

## Une et Mille Nuits

A la gare de Grenoble, Lütfi regretta que Daphné ne fût pas venue. Il avait apporté un bouquet de fleurs et ce fut Juliette Chavoz qui en hérita. Elle les attendait dans sa voiture garée en double file. Quand il la vit, François fut un peu déçu. A quoi s'attendait-il? A rencontrer une Playmate? A être embrassé par Demi Moore, maquillée et parfumée exprès pour lui? Ils arrivèrent au *Magasin* – le nom très « art pauvre » de cette halle industrielle vouée désormais à l'art contemporain – où François présenta Lütfi au public en commençant par dire : « Voici un homme qui, à l'âge de quinze ans, traduisait Arthur Rimbaud en turc. »

Après le vernissage, un dîner était prévu au Château de la Commanderie, l'hôtel où on les avait logés, un trois étoiles « classy » selon Juliette Chavoz, entouré d'un grand parc, à dix minutes en voiture de Grenoble. François aurait préféré un hôtel du centre-ville. Il vou-

173

lait pouvoir quitter sa chambre à n'importe quel moment pour déambuler dans des rues aux vitrines même éteintes qui le stimuleraient davantage qu'un parc trois étoiles avec ses arbres centenaires.

Avant de rejoindre les autres au restaurant, il monta dans sa chambre et déposa son manuscrit en évidence sur une table vide qui le changeait de la sienne encombrée d'un fouillis qu'il ne maîtrisait plus. Il se promit de remonter travailler dès la fin du repas. Il donna quelques coups de fil. Daphné s'apprêtait à aller voir un film avec une amie et lui demanda de la rappeler après minuit. Sa mère lui apprit que c'était à Grenoble qu'elle avait passé son bac soixante ans plus tôt. Il connaissait mal la vie de sa mère. Chez ses deux filles, comme d'habitude, ça sonnait tout le temps occupé.

Au restaurant, il s'imagina qu'il avait réussi à s'asseoir en face de Juliette Chavoz — au cours du vernissage elle avait peu à peu supplanté Demi Moore — avant de comprendre que c'était elle qui avait fait le plan de table. Quand le maître d'hôtel prit sa commande, il désigna Juliette : « Je prendrai exactement la même chose que Mademoiselle. » Un réflexe de séducteur. Il savait que ça produisait son effet.

Elle l'avait tout de suite appelé par son prénom, à l'américaine. Avait-elle pressenti que son prénom était son talon d'Achille ? Chaque fois qu'une femme l'appelait « François », il se sentait troublé, il devenait vulnérable. Assis en face d'elle, il la trouvait jolie avec ses cheveux noirs coupés court et ramenés en mèches sur le front tandis qu'elle parlait des trois années qu'elle venait de passer aux Etats-Unis. Elle avait fait des stages dans des musées de Milwaukee, du Colorado, de l'Illinois. Elle était rentrée à Grenoble depuis décembre dernier. A Boston, elle avait collaboré à une exposition de photos de mode des années soixante. François lui avait dit qu'il avait bien connu à l'époque quelques-uns de ces photographes et surtout leurs modèles. A la fin du repas, quand les autres convives se levèrent de table, Juliette lui proposa de lui montrer Grenoble by night.

Elle l'entraîna dans un bar où elle allait souvent. Il commanda une bouteille de *Une et mille nuits*, un Saint-Chinian tannique et corsé qu'il avait déjà bu à Paris. Il essaya de calculer combien de mois faisaient mille nuits tout en

se demandant comment finirait la « une nuit »
qu'il vivait en ce moment. Mille nuits avec
Juliette, c'était peut-être exagéré, mais pourquoi pas une, là, tout de suite ?

Dans le Colorado, Juliette avait vécu avec
un cuisinier français qui inventait des plats
pour elle, il lui préparait des dîners extra-
ordinaires avant de partir pour son restaurant.
« J'aime quand un homme cuisine pour moi.
Vous aimez cuisiner, François ? » Il lui répondit qu'en fait de cuisine ses compétences
s'arrêtaient au choix des restaurants. Il ajouta
que, par contre, il faisait bien les courses :

— Vous connaissez les photos de poivrons d'Edward Weston ?

— Oui, bien sûr, dit-elle, la fameuse série
des *Peppers* qui date des années trente.

— Ses amis jugeaient que ces poivrons
étaient des photos très érotiques alors qu'il
maintenait qu'elles étaient tout ce qu'il y a de
plus abstrait.

— Je les trouve plus érotiques que ses nus.

— Quand j'achète des poivrons, je choisis
les plus beaux, les plus fermes comme s'ils
devaient être photographiés par Weston. Mon
idée, c'est que, plus on est cultivé, plus on

176

s'amuse en faisant les courses. Je choisis les pommes de terre en hommage à Van Gogh, les salades en me souvenant que Rabelais écrivit : « Dieu n'a pas créé le carême mais les salades. » Je pense à Diogène qui offrit des figues à Platon, et à La Rochefoucauld qui envoyait des Maximes inédites à une amie sans prétendre pour autant mériter son potage de carottes. Quand il ne réussissait pas à trouver les truffes qu'elle lui demandait, il lui envoyait à la place quelques Maximes qui, s'excusait-il, ne valaient pas de bonnes truffes. Si nous nous revoyons, je vous lirai les lettres qu'il écrivit à cette femme, la marquise de Sablé.

François Graffenberg en pleine action !

— Et vous me lirez des Maximes aussi ? Vous en écrirez pour moi, François ?

Le futur venait d'apparaître dans la conversation. Un bon signe mais un faux futur, un conditionnel plutôt, sans que les conditions fussent précisées. Dans quelles conditions — ou à quelles conditions — écrirait-il pour elle ?

— Chère Juliette, c'est un désir dont l'accomplissement est incertain, vous aurait dit Bescherelle.

177

Le bar fermait, ils n'avaient aucune envie de se quitter et Juliette se souvint d'un endroit qu'elle fréquentait avant de partir pour les Etats-Unis. Ils marchèrent dans des rues désertes pendant vingt minutes avant d'arriver devant un rideau de fer baissé, tagué en noir et blanc par un émule de Keith Haring. Il lui prit le bras. Elle le laissa faire. Elle avait l'air de trouver normal qu'ils marchent ensemble bras dessus bras dessous. C'était le mois de juin, le temps était doux. François ne disait rien, il savait que le silence entre un homme et une femme qui se connaissent à peine établit une connivence plus troublante que la parole. Il attendait le moment où elle lui dirait : « A quoi pensez-vous ? »

Ils venaient de passer devant un hôtel miteux. Il se moquait du luxe et du confort pourvu qu'il y ait une chambre libre. Au restaurant déjà, il avait eu envie de baiser rien qu'en regardant Juliette qu'il imaginait en train de le branler. Pendant le vernissage, il avait repéré une fille en arrêt devant un portrait photographique de Kawabata. Elle portait un micro-short affolant qu'un autre que lui avait dû lui enlever à l'heure qu'il était. La fille était

partie sans qu'il ait réussi à l'aborder. Éjacule-
rait-il en pensant à elle si Juliette avait la bonne
idée de le pousser maintenant sous un porche
et de le sucer?

— A quoi pensez-vous, François?

— Je pensais (il lui tenait toujours le bras)
que notre promenade serait plus agréable si
nous étions amoureux l'un de l'autre.

Elle lui proposa de finir la nuit dans une
discothèque.

— Ah non, je n'entendrais plus votre voix!

— Venez, j'ai une idée.

Elle lui fit accélérer le pas. Ils traversèrent
un pont, longèrent un quai et s'arrêtèrent
devant l'immeuble où elle venait d'emména-
ger. Elle lui demanda de patienter en bas, elle
ne serait pas longue. Son ami était très jaloux —
elle vivait donc avec quelqu'un! —, il n'appré-
cierait sûrement pas qu'elle débarquât au
milieu de la nuit avec un inconnu. « Si le type
ne dort pas, pensa François, il va descendre
me flanquer son poing dans la figure. » Il
s'éloigna prudemment de quelques mètres. Il
aurait dû arrêter le taxi qui venait de ralentir en
passant près de lui, il aurait dû rentrer travailler à l'hôtel au lieu d'être là comme un idiot à

attendre en pleine nuit une femme de vingt-
neuf ans qui, si elle avait un peu de bon sens,
ne réapparaîtrait pas. Pourquoi vouloir s'im-
miscer dans la vie de cette fille? Il ne pouvait
pas la laisser tranquille? Elle lui avait déjà
raconté une partie de son enfance. Il restait
encore quelques années à couvrir. Le récit de
son enfance par une femme que vous désirez
baiser est un rite de passage, au sens de « il
faut y passer ». Une vraie corvée.

François s'impatientait. Il avait complètement oublié de rappeler Daphné et il laissait
tomber Lütfi qui, tout à l'heure, l'attendrait en
vain sur la terrasse devant la piscine pour le
petit déjeuner. Et puis il avait un livre à écrire.
Pendant l'exposition, les visages de ses
confrères accrochés aux murs avaient évoqué
pour lui une scène de Jugement dernier. Tous
plus prolifiques que lui, ils le poursuivaient de
leurs regards réprobateurs et lui assénaient ses
quatre vérités : « Pourquoi as-tu quitté ta table
de travail? Pourquoi perds-tu ton temps à
écrire des préfaces? Qu'est-ce que tu fous ici?
Laisse tomber cette gamine. »

Juliette redescendit avec une bouteille de
champagne et deux flûtes. Il la trouva vrai-

ment belle tandis qu'elle avançait vers lui. Il aima qu'elle lui parlât à voix basse. Elle avait de jolies fesses dans ses jeans bien coupés. Comment étaient ses seins? François aurait voulu les caresser, les mordiller, les engloutir l'un après l'autre en entier dans sa bouche.

Elle le conduisit dans son ancien appartement dont elle n'avait pas encore rendu les clefs. L'électricité était coupée. Assis sur le parquet, ils burent du champagne tiède à la lueur du réverbère d'en face. A l'aube, ils s'arrêtèrent de parler pour écouter les premiers oiseaux. François était fatigué. Il se dit qu'il ne se passerait plus rien entre eux. Tout ce vin rouge, ce mauvais champagne... Il voulut se mettre debout et donner le signal du départ quand, à six heures du matin, Juliette Chavoz, qui lui dirait deux mois plus tard : « Je regrette de t'avoir rencontré », lui demanda d'une voix neutre : « M'épouseriez-vous? »

Au lieu d'éclater de rire et de lui sauter dessus, au lieu de partir en courant, il s'entendit répondre : « Juridiquement, ce ne serait pas impossible, puisque j'ai divorcé il y a longtemps. » Il avait dragué cette fille toute la soirée sans trop y croire, plutôt par réflexe. Elle

181

non plus ne s'était pas privée pour lui faire du rentre-dedans et ils en étaient déjà à parler mariage ! Il était si surpris qu'il avait débandé. Il se trouvait encore plus démuni devant elle que devant sa machine à écrire jusqu'à ce qu'elle enlevât son soutien-gorge et vînt s'allonger sur lui. Elle l'empêcha de lui enlever ses jeans. Il n'avait pas fait l'amour depuis long-temps et il était très excité tandis qu'ils rou-laient d'un côté de la pièce à l'autre en s'étreignant sur le parquet. Il était torse nu, sa veste et sa chemise roulées en boule quelque part – il n'avait emmené que ce costume et devait être interviewé à la télévision locale à midi. Quand elle se releva, il crut que c'était pour se mettre toute nue mais, en la voyant se précipiter vers la salle de bain, il se rendit compte que ce qu'il avait pris pour des spasmes de plaisir n'étaient que les efforts qu'elle faisait depuis quelques minutes pour ne pas vomir. Elle revint toute pâle et défigurée. Elle eut la force de sourire : « Fin de l'idylle ! »

Ils se rhabillèrent et descendirent prendre cafés sur cafés dans un bistrot qui venait d'ouvrir. Elle se sentait sale et voulait rentrer chez elle.

Il l'appela en fin de journée d'une cabine à la gare après s'être énervé en perdant un temps fou à trouver un endroit où acheter une carte de téléphone. Elle lui raconta qu'elle était en pleine scène de rupture et que son mec était fou furieux. Il avait très mal pris de la voir rentrer à sept heures du matin et l'avait battue. Il avait passé la nuit à lui laisser des messages sur son téléphone portable qu'elle ne fermait d'habitude jamais. Elle avait beau lui dire qu'elle n'avait pas fait l'amour, il ne la croyait pas. Il n'acceptait pas qu'elle ait pu passer toute la nuit en compagnie d'un autre homme. Circonstance aggravante, elle avait le visage et le cou rougis par les baisers de François : « La prochaine fois, rasez-vous mieux ! » Elle voulait le revoir et lui fit promettre de s'acheter un portable, elle ne tenait pas à tomber sur Daphné.

*CHAPITRE III*

## « *Tes incartades* »

A peine assis dans le train – voiture 11, place isolée, fumeurs –, il se rendit compte qu'il était mort de fatigue et regretta de ne pas avoir demandé au taxi de s'arrêter devant un des hôtels près de la gare, l'hôtel des Alpes ou le Terminus, peu importe. Il se serait endormi tout habillé en travers du lit, sans avoir la force de donner un coup de téléphone ni d'ouvrir son sac de voyage pour y prendre sa trousse de toilette. Il avait fait ce voyage pour revoir Lütfi qu'il avait finalement à peine vu et il rentrait épuisé. Deux ou trois jours de travail perdus. D'autres que lui auraient fait passer le travail avant l'amitié mais s'agissait-il d'amitié ? Aurait-il quitté Paris si les coups de téléphone de Juliette Chavoz, pendant la préparation du catalogue, ne lui avaient pas donné envie de la connaître ?

Le train s'éloignait de Grenoble. Tout en dépliant ses journaux, il aperçut un massif montagneux que le double vitrage reflétant les lumières du wagon l'empêchait d'observer à son aise. Etait-ce la Savoie ou le Piémont ? Il fut étonné de ne voir nulle part les neiges éternelles. « Nous tous qui sommes allés à l'Everest, nous en avons rapporté d'impérissables souvenirs », avait répondu John Hunt au jeune François qui lui avait écrit pour le féliciter d'avoir vaincu l'Everest. Pendant une semaine, au grand désespoir de sa mère, François s'était nourri exclusivement « comme les vainqueurs de l'Everest sous leurs tentes », disait-il, de lait en tube, d'abricots secs et de Quaker Oats. Des photos du sommet, prises à plus de six mille mètres depuis la base avancée, accompagnaient la lettre de Sir John Hunt. François les avait toutes punaisées aux murs de sa chambre.

Il n'avait plus pensé à cette lettre depuis des années. Il soupçonnait son ex-femme, Isabella, de l'avoir gardée dans ses archives avec toutes sortes d'autres papiers et livres à lui qu'elle avait toujours refusé de lui rendre. Leur divorce ne datait pas d'hier et il y avait maintenant prescription. Entre dix et dix-huit ans, il avait écrit à tous ceux qu'il admirait et ils avaient presque tous répondu, les auteurs de la

collection « Signe de Piste » et ceux de la collection « Sciences d'aujourd'hui », les coureurs
cyclistes, les pianistes qu'il écoutait à la radio,
les savants, les poètes, les acteurs. Il n'avait
jamais jeté une seule lettre. Où étaient celles de
Sir Edmund Hillary, du sirdar Tensing, de
Charly Gaul, de Kübler, de Koblet, de Graham
Greene, de Raymond Queneau, du maire de
Florence, Giorgio La Pira, le premier homme
politique qui l'ait impressionné ? Celle de Jean
Renoir ? Celle de Vladimir Horowitz, à qui il
avait écrit parce qu'on le surnommait le Satan
du piano, un homme dépressif qui avait
répondu un an plus tard sur du papier à
musique en recopiant quelques mesures de
Chopin ? Où était passé le dessin original
d'Hergé ? Les photos dédicacées de Sidney
Bechet et de Gary Cooper ?

La lettre de John Hunt était tapée à la
machine avec des fautes de frappe, ce qui voulait dire qu'il l'avait tapée lui-même au lieu de la
dicter à une secrétaire. Sir John Hunt avait-il
répondu à des milliers de lettres ou bien celle
de François lui avait-elle paru plus intéressante,
méritant une réponse par retour du courrier,
avec des photos ? Si François regrettait d'avoir

187

perdu la lettre de John Hunt, il regrettait aussi de ne pas avoir gardé le brouillon de la sienne. Pourquoi avait-il écrit aux vainqueurs de l'Everest ? Pour prendre part, même après coup, à leurs efforts ? Pour échapper à sa famille ? Pour recevoir du courrier ?

Le train fonçait, longeant des parois rocheuses et de hautes collines boisées que François regardait défiler en imaginant les sources, les cascades, les torrents qu'elles abritaient. S'allonger dans les roseaux au bord d'un petit lac de montagne ou d'un ruisseau rapide lui ferait tant de bien ! Un lac profond et froid, un torrent sonore au lit pierreux. Dans les eaux transparentes, il verrait nager des ablettes aux écailles argentées et des poissons au dos vert sombre, des brochets qu'il prendrait pour des truites ou le contraire, mais existait-il encore, dans cette région vendue au tourisme, un lac paisible, sans location de pédalos, sans toboggan aquatique ? Existait-il encore des trains paisibles, sans les bruits de friture des walkmans, sans hommes d'affaires cramponnés à leur téléphone portable, infligeant à tout le monde les détails de leur planning de la semaine ?

188

Pendant qu'il allumait une cigarette dans ce wagon qui empestait les relents de tabac froid, François se voyait là-haut, faisant du stretching et respirant à pleins poumons l'air pur des sommets. Quel rêveur il était ! Le soleil colorait de tons pastel les montagnes lointaines où, pensa-t-il, crevasses et avalanches lui feraient courir des risques moindres que ceux qu'il prenait quand il s'asseyait devant sa machine à écrire. Il colla sa tête contre la vitre et aperçut en surimpression, flottant au milieu d'un décor de broussailles, un visage blême et crispé, le sien, avec son front reconnaissable, haut et dégarni, ses paupières gonflées et sa bouche aux lèvres minces. Il eut envie de se dire à lui-même : « Qu'est-ce que je peux faire pour toi ? » Ce visage si près du sien lui inspirait une profonde sympathie. Il avait eu mille fois l'occasion de surprendre sa silhouette dans des vitrines ou des miroirs et, avant même de réaliser que c'était lui, il éprouvait un bref élan de sympathie pour cet inconnu. S'il avait beaucoup de problèmes – « sans tes problèmes tu ne serais plus toi-même », lui avait dit récemment sa mère –, il n'en avait pas avec son schéma corporel, une expression qu'il détestait depuis qu'un chirurgien avait sèchement répondu devant lui à une jeune femme se plaignant de l'aspect d'une large cicatrice qu'elle avait à la jambe : « Apprenez donc à assumer votre schéma corporel ! »

A la gare, en achetant les journaux, il avait ramassé un tas de prospectus publiés par le département de l'Isère, où, apprit-il, on élevait des autruches (www.autruches.net). Des bandes d'autruches envahiraient-elles bientôt les stations de sports d'hiver, encombrant les pistes avant de squatter les téléphériques pour y couver leurs œufs ? Les autruches skieuses seraient une attraction pour les touristes : après d'impeccables descentes en slalom, elles avaleraient d'un coup de bec les appareils photo des spectateurs. François aurait volontiers comparé son cerveau à l'estomac de l'autruche qui a besoin d'absorber n'importe quoi, des cailloux et du métal, pour mieux digérer les aliments. Lui, c'était sa mémoire qui réclamait des informations hétérogènes, déroutantes et périssables, pour réussir à digérer le fort peu digeste monde actuel.

L'Isère n'hébergeait pas seulement des autruches mais vingt-sept espèces de libellules coexistant au bord du même marais tourbeux où fleurissaient des orchidées. On ne disait plus « marais » mais « espace naturel sensible ». On n'invitait plus les enfants à grimper aux arbres, on leur parlait d'accrobranche. Une brochure était consacrée aux musées de la région, plus nombreux que les libellules et les autruches réunies. En partant pour Grenoble, François s'était promis d'aller visiter le musée Stendhal avec Lütfi mais il n'avait pas prévu de passer une nuit blanche avec une jeune femme à qui il n'avait pas hésité à dire : « Désormais, la ville natale de Stendhal sera pour moi la ville natale de Juliette Chavoz. » Le musée Stendhal se trouvait rue Hector-Berlioz, une adresse qui était plutôt vexante pour la mémoire de Stendhal dont Berlioz était le cadet de vingt ans, voire plus. Y avait-il au moins une belle rue Stendhal à Grenoble ? François possédait une vingtaine d'éditions différentes de *La Chartreuse de Parme* – il avait offert les deux plus rares, en reliures d'époque, à ses filles. Il avait lu *La Chartreuse de Parme* pour la première fois sur la terrasse de la maison familiale en Provence, en plein été, adossé à un muret de pierres chaudes, juste avant d'entrer à l'Institut des hautes

191

études cinématographiques : « J'en fus renvoyé au début du troisième trimestre sous prétexte que j'avais tourné un court métrage pendant les vacances de Pâques et que les élèves n'avaient pas le droit de se livrer à des travaux professionnels avant la fin de leurs études », avait-il raconté à Juliette quand elle lui avait demandé pourquoi il avait arrêté de réaliser des films – elle avait lu sa courte biographie dans le catalogue de Lütfi, une vraie fiche de police : « Né en 1942 à Saint-Jean-de-Luz, a mis en scène à Londres la *Salomé* de Richard Strauss, a réalisé cinq films et publié dix romans. »

D'après les dépliants, l'Isère fourmillait de murs d'escalade, de patinoires, de tennis couverts, de piscines olympiques. Le moindre village organisait des baptêmes de l'air en parapente, des randonnées dites « rando », des parcours nocturnes en VTT avec lampe frontale, des week-ends « Découverte de la vie de berger » en gîte d'alpage : « Après ce week-end, la vie de berger n'aura plus de secrets pour vous. » Voilà ce qu'il lui fallait ! Vivre dans l'air revigorant des pâturages avec pour compagnons des chèvres et des moutons. Le soir, quand le troupeau serait endormi, il écrirait à la lueur des bougies. Personne ne viendrait le déranger, ses seuls visiteurs seraient les aigles et les chamois. Le week-end, Juliette Chavoz ou la blonde au micro-short, munies de cordes et de piolets, escaladeraient la montagne pour venir égayer sa solitude. Et puis, un beau jour, il quitterait la bergerie, il disparaîtrait à plus de trois mille mètres d'altitude dans le massif de la Vanoise où il découvrirait sa Montagne des Nuages Précieux. Expirant le vieux souffle et inspirant le nouveau, il vivrait dans une grotte et fabriquerait lui-même son encre en mélangeant du noir de fumée à du miel. Il écrirait son livre avec des pinceaux faits de cheveux de nouveau-nés, de moustaches de tigre et, pour finir, de ses propres cils.

Au moment où un Sage taoïste qui ne descend sur terre que deux fois tous les cent ans, s'apprêtait à lui révéler le secret de l'immortalité, un contrôleur lui demanda son billet qu'il sortit de la poche intérieure de sa veste en ressentant une vive douleur au bras, conséquence de ses ébats sur le parquet la nuit dernière. Il avait des éraflures aux coudes et des bleus sur le dos qu'il avait découverts à l'hôtel dans le miroir de la salle de bain. Il ne s'agissait pas

qu'il se promenât torse nu devant Daphné.
Qu'inventerait-il ? Qu'il s'était retrouvé dans
une mêlée de rugby ?

Le train approchait de Lyon. Il pouvait ran-
ger ses prospectus. Il ne comptait pas revenir
en Isère avant longtemps. Au Moyen Age,
c'était à Lyon qu'un concile œcuménique avait
arrêté la liste des sept sacrements. Du baptême
au mariage, François les avait presque tous
reçus. L'extrême-onction attendait son tour, à
l'heure où la mort se ferait pressante – il entendait encore, cinquante ans après, la voix de son
professeur de religion, le Père Dumont, passé
maître dans l'art de terroriser toute une classe :
*la mort prrressante et opprrimante*... Il devait être
bien fatigué pour que le catholicisme austère de
son adolescence remonte à la surface. « Le
catholicisme vous colle à la peau, vous ne vous
en débarrasserez pas comme d'une vieille chemise », l'avait prévenu le Dr Zscharnack quand
François avait commencé une cure de psychanalyse avec lui au début des années soixante.
Zscharnack avait attendu des mois avant de lui
demander à brûle-pourpoint : « Et si vous me
parliez de votre mère ? » Il devait en avoir plein
le dos d'écouter le récit détaillé des coucheries

de son patient. François s'était contenté de répondre : « Ma mère est très gentille », ce qui n'avait pas suffi à l'analyste : « Elle est quoi d'autre que gentille, votre mère ? » François était resté silencieux jusqu'à la fin de la séance.

Comme s'il rembobinait une vidéocassette, ses souvenirs défilaient en marche arrière à une vitesse qui, par comparaison, faisait du TGV un tortillard. Le visage de Kim, une violoncelliste australienne en tournée au Japon, vint supplanter celui de sa mère. Ils étaient descendus dans le même hôtel à Osaka et il avait admiré de loin cette superbe jeune femme d'un mètre quatre-vingts qui traversait le hall à grandes enjambées sans regarder personne. Elle portait un manteau matelassé en lamé or qui faisait ressortir l'étui noir de son violoncelle monté sur des roulettes comme un caddie et poussé à côté d'elle par un Japonais pas plus haut que l'instrument. Elle avait disparu dans l'ascenseur pendant que François se disait : « Je donnerais tout pour coucher avec cette fille. » Le même jour, aux environs de minuit, il s'apprêtait à quitter le bar au trentième étage du Royal Hotel quand elle apparut à la porte, en jupe et chandail, démaquillée, seule, les traits tirés. Le lendemain, il changeait son billet d'avion pour l'accompagner dans sa tournée. Kim, ses longs cheveux roux qu'elle frisait avec des bigoudis avant ses concerts, son amour de la musique française, son violoncelle occupant chaque fois un des lits jumeaux dans la chambre, un violoncelle de Bergonzi que lui avaient offert ses grands-parents, des éleveurs de mérinos... François se revit avec elle dans le « *Green Car* » entre Osaka et Tokyo. Pendant les trois heures qu'avait duré le voyage, on leur avait constamment servi à leurs places du saké chaud. Entre deux gorgées, Kim lui chantonnait à l'oreille *You and the Night and the Music*. Il faisait encore des films à ce moment-là et il aurait aimé tourner un documentaire sur elle. Un an plus tard, il prenait un train de nuit pour Munich. Elle interprétait le soir même un concerto de Schumann et ils s'étaient retrouvés au petit matin dans une chambre d'hôtel où, juste avant qu'il la pénétrât, elle lui annonça qu'elle était enceinte. Il avait débandé aussitôt. Elle lui avait reproché d'être trop *emotional*. « Si on pouvait se délivrer de ses souvenirs désagréables aussi facilement qu'on va rendre le lundi des vidéos louées pour le week-end... », pensa-t-il. Voilà qui indiquait bien son âge. Lui, un des tout premiers acheteurs de magnéto-scope, ne possédait pas encore de lecteur DVD. Il irait en choisir un à la Fnac ou chez Darty après la parution de son livre. Tout ce qu'il ne ferait pas après la parution de son livre ! Il rangerait sa pièce pour installer un rameur et ferait une heure de gymnastique chaque matin, il arrêterait de fumer, il irait enfin voir sa mère après tous ces mois où il avait dû se contenter de lui téléphoner et il l'emmènerait à Venise, la ville où elle avait tant de fois accompagné son mari au festival de cinéma – le père de François, comme son fils à qui il en avait donné le goût, avait été critique de cinéma –, il partirait à la découverte de l'Amérique centrale et de l'Amérique du Sud, ou bien il irait en Chine, ce serait plus excitant, il reverrait les villes qu'il aimait en Europe, Lis-bonne, Prague, Dresde, Thessalonique, il reverrait aussi ses amis qui n'osaient plus lui téléphoner de crainte de le déranger, il écoute-rait avec la partition en main toutes les sonates pour piano de Haydn, il créerait un site Inter-net pour donner des informations enfin exactes sur ses films et ses livres, il achèterait une maison de campagne où il écrirait dans le calme les nombreux livres qu'il souhaitait encore écrire et pour couronner le tout, il se marierait avec Daphné, mais Daphné ne voulait pas se marier et, au fond, lui non plus, même si, cette nuit, il n'avait ni sursauté ni tressauté lorsqu'une Cendrillon grenobloise l'avait pris pour un Prince charmant.

« M'épouseriez-vous ? » avait demandé Juliette à un homme qu'elle connaissait seulement depuis quelques heures. C'était la pre mière fois de sa vie qu'une telle question lui était posée – un bel exemple de phrase interrogative directe. Ce fut dans le train, trop tard, qu'il se rappela l'histoire de la fée Mélusine promettant richesse et bonheur à un chevalier qu'elle venait à peine de rencontrer, en y mettant une condition : « Epousez-moi d'abord ! » Voilà ce qu'il aurait dû répondre à Juliette Chavoz cette nuit, au lieu de bafouiller qu'il était divorcé : « Vous vous prenez pour la fée Mélusine ? »

— M'épouseriez-vous ?

S'il avait répondu non, elle ne se serait peut-être pas laissé embrasser. Vous épouser, ma chère, mais pourquoi pas, du moment qu'on baise tout de suite ! Il était à mille lieues de se douter qu'un mois plus tard elle le pousserait à l'intérieur de l'Hôtel de Ville de Grenoble à la recherche du bureau où un fonctionnaire leur expliquerait la marche à suivre pour se marier civilement.

Daphné avait invité leurs deux filles, Chloé chef-monteuse et Sieglinde comédienne, à venir dîner ce soir à la maison pour fêter le départ de Chloé demain pour Montréal où elle monterait sur système Avid – une technique qu'il ignorait, il en était resté aux moritones – les premiers épisodes d'une coproduction franco-québécoise. Sieglinde passerait l'été à Paris où elle répéterait un choix de textes de Strindberg qui serait créé fin septembre à Montpellier. Ce vieux misogyne de Strindberg continuait de fasciner les jeunes comédiennes.

François aurait préféré ouvrir une boîte de sardines à la cuisine et les manger en vitesse avec ses doigts, penché au-dessus de l'évier. Un dîner, avec une nappe et des assiettes, lui paraissait au-dessus de ses forces mais voir ses filles le réveillerait.

Il chercha dans son sac, entre les livres – Northrop Frye, Edmund Husserl, Emmanuel

Kant, il ne voyageait pas avec n'importe qui –
la chemise cartonnée sur laquelle il avait inscrit
en majuscules au marker rouge le titre de son
roman, *Trois jours chez ma mère*, et redressa
son fauteuil. Il sortit de sa poche un Pilot
Hi-Tecpoint V5 encre noire – il les achetait par
boîtes de dix –, le posa sur la tablette, écarta les
élastiques de la chemise et déplia les rabats
pour se retrouver en face d'une cinquantaine
de pages dactylographiées, couvertes de cor-
rections manuscrites et de ratures, dont
l'aspect aurait affolé un imprimeur et fasciné
un psychologue. Des pages que des artistes
comme Beuys ou Cy Twombly n'auraient pas
désavouées. Il aurait mieux fait de les encadrer
et de les vendre au lieu de vouloir encore les
corriger.

Après la page de titre, il avait recopié des
phrases qui pourraient lui fournir une épi-
graphe. Il aimait bien « *Le mental est comme
un singe déchaîné* » (Swâmi Sivananda) et « *Le
poisson nage dans la marmite* », une expression
chinoise que les lecteurs français risquaient de
confondre avec « heureux comme un poisson
dans l'eau » alors que ça veut dire qu'on est
dans une situation désespérée. Il y avait aussi la

citation d'un Allemand du XIVᵉ siècle, Maître Eckhart en personne : « *Celui qui a commis un millier de fautes ne devrait ni les regretter ni souhaiter ne pas les avoir commises* », une phrase réconfortante, aussitôt condamnée par Jean XXII, le deuxième pape d'Avignon, en ces termes : « Nous déclarons avec douleur qu'un Allemand du nom d'Eckhart a voulu en savoir plus qu'il n'est nécessaire. » François avait ses notes sous les yeux.

Le narrateur de son roman s'appelle Weyerstein, François Weyerstein. Il en a fait un écrivain comme lui. *Trois jours chez ma mère* racontera les aventures et mésaventures de ce Weyerstein qui, très désemparé le jour de ses cinquante ans, annule tous ses rendez-vous et décide d'aller passer quelques jours chez sa mère pour souffler un peu et faire le point. Dès que sa mère est endormie, il se promène toute la nuit dans la maison, il ouvre des placards, fouille dans les tiroirs des commodes, retrouve dans la cave son vieux poste à galène, son Meccano, toutes sortes d'objets achetés au fil des ans chez des brocanteurs de la région et qu'il n'a jamais remontés à Paris.

« Si votre personnage rôde toute la nuit dans la maison, vous devriez appeler votre livre

*Trois nuits chez ma mère* », lui avait dit Juliette hier soir. Quand on parle de ses projets aux autres, ils s'imaginent qu'ils ont de meilleures idées que vous. François comptait parler davantage de la maison que de sa mère, cette maison que ses parents avaient commencé à restaurer ensemble jusqu'à cette fin de matinée d'hiver où le cœur de son père s'arrêta de battre, le grand-père que Chloé et Sieglinde avaient à peine connu. Elles ne se souvenaient pas de l'avoir aidé à débroussailler le jardin ni de s'être réfugiées dans ses bras en apercevant des scorpions ou des araignées.

Pendant la première nuit qu'il passe chez sa mère, Weyerstein retrouve de vieilles lettres d'amour qu'il avait oubliées au fond d'un carton dans la cave et il décide de les brûler – une chose que François Graffenberg n'aurait jamais faite. Il allume un feu de brindilles en espérant que la cheminée est ramonée. Le paquet de lettres se consume trop lentement. Il faut qu'il les déchire en petits morceaux. Il lit presque malgré lui des bouts de phrases qui vont disparaître pour toujours et qui eurent jadis le pouvoir de le bouleverser. Il verse une casserole d'eau sur les cendres et descend au fond du jardin, éclairant au passage avec sa lampe de poche les troncs luisants de quelques aulnes et le vieil amandier mort dans lequel il grimpait avec son arc et ses flèches quand il était petit. Il s'allonge sur le gazon, heureux de sentir la chaleur que dégage encore le sol, près du ruisseau à sec qui sépare le jardin de sa mère d'un champ de thym appartenant à la commune. La journée a été chaude et ensoleillée. Dans l'après-midi, il faisait plus de trente degrés sur la terrasse. Il voit briller une étoile filante, ou bien un satellite artificiel ? Il essaie de se souvenir du nom des constellations et de les reconnaître, le Petit Cheval, le Dragon, le Dauphin. Il songe aux années-lumière, aux nébuleuses, aux trous noirs, aux galaxies. Il fixe son regard sur une étoile à peine visible à l'œil nu et qui est sans doute huit cents fois plus grosse que le Soleil. Il s'abandonne, immobile, à la rotation de la Terre. Il songe aux milliards d'êtres humains que la nuit et les étoiles ont réconfortés, tous ceux qui taillaient des haches dans le silex ou l'obsidienne, tous ceux qui vivaient dans des huttes, tous les couples de la

préhistoire qui savaient que les planètes les
regardaient, et puis les chasseurs, les marins, les
pasteurs nomades, les villageois, les géographes
portugais, les astronomes arabes, les poètes, les
peintres. Il garde les yeux ouverts. Il voudrait
qu'il n'y ait plus de différence entre ses yeux et
le ciel. Il se déshabille. Il roule tout nu dans
l'herbe tiède, il s'immobilise et se dit qu'il est
un amas d'atomes. Son corps n'existe plus. Il
devient un astre. Il brille comme un soleil nain
à des années-lumière de sa propre vie. Libre et
dégagé d'entraves, il va s'unir à la nature, aux
feuilles pourpres des églantiers qui l'entourent,
aux amas d'étoiles où il passerait inaperçu, à la
chaleur de la terre. Il est en train d'oublier tout
ce qu'il sait. Il n'a plus de souvenirs.

L'extase est un but vers lequel on tend,
l'orgasme n'en est qu'un vague et pâle écho,
pensa François Graffenberg en relisant ses
notes sur le sens de « ekstasis » en grec. Pour
décrire l'extase de Weyerstein dans le jardin, il
comptait s'inspirer de l'expérience qu'il avait
vécue au Eiheiji, un temple zen où il passa une
nuit à la fin de son premier voyage au Japon en
mai 1970, un temple où sa vie fut changée par
un vieux moine hilare dont il n'avait pas

compris le nom – ce n'est pas dans une salle de méditation qu'on échange des cartes de visite. Ce moine commença par l'inviter à s'allonger sur un tatami et lui piétina le dos en lui faisant savoir, dans un anglais sans doute appris pendant l'occupation américaine, qu'il le trouvait très mal en point et qu'il ne pourrait rien faire pour lui en si peu de temps. Devant l'air dépité de François, il le fit asseoir face à un mur, les jambes repliées tant bien que mal dans la position du lotus, chacun de ses pieds enfoncé dans la cuisse opposée. « Tenez votre colonne vertébrale droite comme la paroi d'un précipice », ordonna-t-il en prenant François à bras-le-corps, le forçant à appuyer les genoux sur le sol, à rentrer le menton, à basculer le bassin. François se mit à méditer en silence, les yeux mi-clos, s'efforçant de ne penser à rien. S'il bougeait, même un cil, s'il pensait quoi que ce fût de frivole, le moine s'en apercevrait et François recevrait quelques vigoureux coups de kyosaku. Une chose était d'apprendre l'existence de ce bâton dans les livres, autre chose d'en recevoir deux ou trois coups bien ajustés sur chaque épaule, des coups douloureux mais tonifiants.

François réussissait à maintenir depuis un long moment déjà une posture parfaite, quand tout à coup, durant quelques secondes, il crut comprendre ce que les maîtres zen enseignaient, que le vide est le plein et qu'on voit mieux le Nord en se tournant vers le Sud. Tout ce qui comptait jusqu'alors pour lui, écrire, filmer, aimer, voyager et même faire l'amour, ne présenta plus à ses yeux le moindre intérêt. L'idée même de désir l'avait quitté. Son esprit était devenu clair et serein. Il aurait pu rester assis jour et nuit devant ce mur en se nourrissant d'un peu de riz, sans rien faire d'autre jusqu'à sa mort. Il souhaitait ardemment devenir un de ces moines qui, à force de méditer, éprouvent un plaisir plus intense à se passer du plaisir qu'à s'exténuer à vouloir le trouver, mais le visage de la jolie vendeuse qu'il avait draguée quelques jours auparavant dans une papeterie de Tokyo vint s'introduire dans ses pensées et mettre fin à son extase. Elle lui avait promis de l'emmener au Musée du Papier. Quel manque de concentration! Le moine, qui s'en rendit compte, lui asséna deux bons coups de bâton et le fit s'allonger sur le dos, restant planté devant lui, les bras croisés, ne le quittant pas

206

des yeux, robuste, immense, un quartier de roche. François se demanda avec inquiétude ce qui l'attendait. Dans une salle voisine, des moines psalmodiaient la prière avant le repas, « *Kai-i-gu jo-bu-tsu-do...* », qu'il reconnut pour l'avoir si souvent écoutée sur une des faces du double album *The Way of Eiheiji*, des 33 Tours d'importation dénichés en 1960 chez Cado-Radio à Bruxelles. Il les avait fait écouter à ses parents, à ses sœurs, à ses amis, à Isabella, à Daphné, et plus tard à ses filles quand elles étaient petites. A quatre ou cinq ans, Chloé, puis Sieglinde devinrent de ferventes auditrices de ces disques, réclamant qu'on leur fît entendre les moines qui chantaient comme s'ils poussaient pour faire caca. Elles aimaient aussi les percussions et connaissaient, mieux que les noms des Sept Nains, ceux des cymbales, des cloches et des tambours utilisés dans les rites bouddhiques : *taiko, hansho, hachi, o bon sho*, qu'elles prononçaient à la perfection en imitant la voix du moine qui les annonçait sur le disque. Devenues de grandes connaisseuses de la musique japonaise, les deux petites filles avaient fini par délaisser les moines du Eiheiji au profit des chanteurs de bunraku, des gens

qui poussaient encore plus fort des gémissements plus variés.

Le vieux moine, dans un hurlement suraigu,
se plia tout à coup en deux et tordit violemment le gros orteil gauche de François dont le
corps se souleva de quelques centimètres et
retomba un peu plus loin. François n'arrivait
plus à respirer, sa poitrine était devenue brû-
lante et ses mains violettes et glacées. Il crut
qu'il allait mourir. La frayeur qu'il venait de ressentir se transforma subitement en euphorie.
Au lieu d'avoir à renoncer à ses désirs, il se vit
capable de les affronter, de les assumer, de les
aimer ou de les nier. En se relevant, il sentit
qu'il n'aurait plus jamais besoin de prendre des
calmants. A peine sorti du temple, il jeta le tube
de Valium dont, le matin même, il ne se serait
pas séparé pour tout l'or du monde. Un moine
s'était contenté de lui tordre un orteil, et termi-
nés les tranquillisants ! Plus fort que Zscharnack !

Avant de le laisser partir, le moine lui appli-
qua des *mokshas*. Il avait d'abord cherché deux
points symétriques en promenant un crayon un
peu partout sur le corps de François et le
crayon s'était arrêté sous les genoux. Le moine

fit brûler deux bouts d'un épais coton gris, qu'il maintenait fermement sur la peau aux deux endroits qu'il venait de repérer. Ce fut d'abord dans le dos et les épaules qu'un soulagement immédiat se fit sentir. François reçut un sachet de ce coton préparé. On aurait dit un sachet de lavande. Quand il aurait épuisé la provision de coton, le moine lui dit que des bâtonnets d'encens feraient aussi bien l'affaire. Rentré à Paris, François s'apercevra que les *mokshas* sont connus en Europe depuis longtemps et que Tolstoï en parle dans ses romans. Les dictionnaires écrivaient « moxas » mais il voulut rester fidèle à la prononciation et à l'orthographe japonaises. Il s'appliquera les *mokshas* pendant des mois, redoutant d'atteindre le muscle extenseur des orteils : n'était-ce pas dans ses orteils que le moine avait débusqué son cerveau? Chaque fois qu'il appuyait le bâtonnet incandescent sur les plaies devenues purulentes, il se sentait ragaillardi. S'il avait rendez-vous à dix heures du matin et qu'il n'avait pas dormi, une brûlure sur chaque jambe remplaçait une bonne nuit de sommeil.

Aujourd'hui encore, un quart de siècle plus tard, en regardant bien, il retrouvait les deux minuscules cicatrices. S'il avait mis de l'encens dans son sac de voyage, il serait allé se faire des *mokshas* sous les genoux dans les toilettes du TGV et Daphné et les filles l'auraient vu arriver dans une forme éblouissante. Daphné aura-t-elle pensé à carafer un bon vin ? Il aurait dû lui dire de prendre une bouteille dans la caisse de corton rouge que ses sœurs lui avaient offerte le jour déjà lointain de ses quarante ans – elles s'étaient cotisées pour acheter ce vin de longue garde à un prix aussi mérité qu'astronomique. Comment a-t-il fait pour garder ces bouteilles si longtemps ?

Le train arrivera à Paris dans une heure. Il voudrait que ce voyage dure des semaines, des mois s'il le faut, et qu'il puisse terminer d'écrire *Trois jours chez ma mère*, là, assis à sa place isolée dans ce wagon de première classe. Quand il n'aura plus de papier, il continuera d'écrire sur les pages blanches et puis dans les marges des livres qu'il a eu la bonne idée d'emporter. Il allume une cigarette. Il n'y aura bientôt plus de wagons fumeurs. Un jour, quand on rééditera les romans du XX^e siècle, il faudra expliquer en note ce que voulaient dire des mots comme cigarette et cendrier.

Il faut d'abord qu'il relise ce qu'il a écrit. Il faut qu'il aille plus loin que la page de titre et les projets d'exergues. Il faut qu'il ose sortir les autres pages de la chemise Exacompta. Pourquoi avoir enfermé ses pages et ses espoirs dans de la fourniture de bureau ? Il possède de superbes chemises anciennes, datant des années trente, qu'il a découvertes en fouinant dans les réserves de la papeterie Pietrobon à Venise. Ce qui compte, c'est le texte. Au téléphone hier soir, sa mère lui a dit qu'elle se réjouissait tant de pouvoir lire un nouveau roman de son fils.

*Chapitre premier.* « Maman fut-elle jamais plus élégante que le soir de mon mariage lorsque nous avons valsé ensemble dans le salon de l'hôtel particulier de mes beaux-parents, les portes-fenêtres ouvertes sur un parc qui dominait Stuttgart ? Elle dansait beaucoup mieux que moi et me dirigeait. Nous passions et repassions devant des miroirs où sa robe chatoyait sur un fond de plantes ornementales aux feuilles marbrées de blanc. J'appris beaucoup plus tard qu'elle avait vendu une de ses bagues pour acheter cette robe.

211

J'avais loué un frac et je venais tout juste d'avoir vingt ans. Nous glissions sur le parquet déserté par les autres danseurs qui formaient un cercle autour de nous. Mes beaux-parents, des industriels du Bade-Wurtemberg qui avaient offert le matin même au jeune ménage une voiture de sport que je bousillerais un an plus tard en compagnie d'une autre femme que leur fille, avaient fait venir à grands frais des musiciens du Wiener Phiharmoniker qui, après le dîner, jouèrent avec fougue un pot-pourri de valses viennoises dont les compositeurs ont deviné, bien avant l'invention des aéroplanes, l'allégresse du décollage et le vertige du trou d'air. Nous tournions sur nous-mêmes dans ce décor d'un goût féodal où les boiseries de chêne montaient jusqu'au plafond, grisés par le champagne que nous venions de boire dans un autre salon aux murs recouverts d'un cuir gaufré d'or éclairé par de somptueux lustres à girandoles de cristal – tout ce que ma femme était heureuse de laisser derrière elle. Après les dernières mesures d'une valse qui n'avait plus été jouée depuis sa création à Vienne pour les noces impériales de Sissi, les musiciens applaudirent Maman à coups d'archet. Je me séparai

d'elle et reculai de quelques pas pour l'applau-
dir moi aussi. Elle se retrouva seule, charmante
au centre de ce vaste salon lambrissé, heureuse
d'être à la fois la mère de son fils et, pour un
instant, la reine de la soirée. »

François Graffenberg, lui, ne s'était pas
marié en frac mais en smoking, un smoking fait
sur mesure chez Butch, rue de l'Écuyer à
Bruxelles. Sa fiancée, Isabella, une jeune et
ravissante Italienne aux cheveux et aux yeux de
jais, son Isabellita, n'était pas la fille d'un riche
industriel allemand mais d'un industriel mila-
nais encore plus riche, à qui sa fille unique avait
voulu faire un pied de nez en exigeant de sortir
de l'église au bras d'un jeune homme en smoking tandis que son père serait en jaquette
noire et pantalon rayé, un haut-de-forme à la
main. On ne plaisantait pas avec le protocole
au début des années soixante. Contraindre une
famille de grands bourgeois à tolérer que le
gendre se marie en smoking était un tour de
force. Ayant gardé la minceur de ses vingt ans,
François porta ce smoking pendant des années,
y compris après son divorce. Il l'avait mis tous
les soirs à Venise chaque fois qu'il était allé au

festival de cinéma, et aussi à Cannes. Avant qu'une mite n'ait eu raison du revers en satin bleu nuit de la veste, ce smoking fut caressé par une Norvégienne un peu mystique, à la poitrine généreuse, Greta Ekeland, une fille qui dessinait les symboles du yin et du yang au début de ses lettres et qui travaillait pour la Norsk Film – elle réussit à faire programmer le premier long métrage de François au *Film Club* d'Oslo, une salle de cent vingt places. Ils s'étaient rencontrés à Paris dans une soirée de gala, à l'issue de l'avant-première d'un film français sans intérêt, et ils avaient tellement bu qu'en se réveillant le lendemain à côté d'elle François s'était demandé qui pouvait bien être cette jolie fille toute nue dont il ne connaissait même pas le prénom. Ils ne savaient plus s'ils avaient fait l'amour ou non, et Greta avait dit : « On n'a qu'à le faire maintenant, comme ça on saura à quoi s'en tenir. » La regarder dans les yeux avait suffi à le faire bander malgré un mal de tête carabiné.

— Tu devrais porter un smoking tous les soirs de ta vie, ça te va tellement bien, lui avait dit Liisa Peltomaa, une actrice finlandaise avec qui il avait passé un des plus beaux jours de sa vie. Le dernier soir du festival de Venise, l'année où Antonioni avait obtenu le Lion d'Or, ils s'étaient retrouvés près de l'embarcadère du Lido, chez Chizzolin, et s'étaient serrés l'un contre l'autre sur une des balancelles de la terrasse en s'embrassant. Ils avaient pris le dernier bateau pour la place Saint-Marc et s'étaient mis à chercher une chambre d'hôtel. Début septembre, pendant la Biennale, tous les hôtels sont complets. Au Lido, ils avaient chacun une chambre mais dans l'une de ces chambres dormait une amie de Liisa et dans l'autre s'inquiétait ou s'affolait Isabella, la jeune épouse de François Graffenberg qu'on aurait étonnée en lui disant qu'il essaierait trente ans plus tard de décrire cette nuit d'amour dans un roman.

François avait esquissé une page de notes sur cette nuit-là : « Liisa en robe longue, velours et mousseline de soie. François Weyerstein en smoking. Errance toute la nuit dans Venise. Rues désertes. Ils s'arrêtent tous les dix mètres pour s'embrasser. C'est la cinquième fois qu'il vient à Venise, une ville que Liisa, arrivée l'avant-veille, découvre avec lui. Les hôtels qu'il connaît, le Bonvecchiati, le San Fantin, l'Ala, ceux de la Riva degli Schiavoni, même le Danieli trop cher pour eux, portes fermées. Ils sonnent, on leur dit que c'est complet. Ils marchent beaucoup. Liisa finit par enlever ses escarpins à talon aiguille. Sur la Piazzetta, les chaises des cafés n'ont pas été rentrées. Liisa s'assied sur les genoux de Weyerstein qu'elle embrasse dans la bouche. Ils se remettent à marcher. Un *campiello*, un autre baiser, un *sottoportico*, encore un baiser, les canaux, les ponts. Ils traversent dix fois le même campo. Liisa a les épaules nues, des épaules arrondies, un peu grasses, moelleuses, on dirait des confiseries orientales dans une ville qui l'est aussi, des épaules qui brillent et que le narrateur dévore, caresse, embrasse comme s'il avait quinze ans – il en a vingt-trois. Elle le masturbe. Elle a du sperme sur la main. Elle rit en se léchant la main. A genoux devant elle, il soulève la robe, descend la culotte, elle dit : " Non, pas ici ! " Il a la moitié du corps sous la robe longue de Liisa. Il aime l'odeur et le goût de son sexe. Elle jouit en tremblant. Elle tombe sur lui. Ils tombent tous les deux. Leurs vêtements sont froissés. Le jour se lève. Ils découvrent le marché en bas du pont du Rialto. Contraste entre les marchands, les premiers acheteurs matinaux, les poissons et ce jeune couple en tenue de soirée. Place Saint-Marc, la basilique vient d'ouvrir ses portes. Nouveau contraste entre les fidèles venus assister à la première messe et ces jeunes gens dont il n'est pas difficile de deviner qu'ils ont joui plusieurs fois dans la nuit. Liisa a remis ses escarpins et marche sur le merveilleux dallage de la basilique. Les yeux verts de Liisa éclairés par les cierges dont elle s'approche. Elle est actrice de cinéma, elle a le sens de la lumière. A l'hôtel, Weyerstein retrouve sa femme en pleurs, folle de rage et d'inquiétude. Elle l'a cherché toute la nuit, elle est allée à l'hôpital du Lido. Il répond qu'il était à Venise avec un producteur et qu'il a dû attendre le premier bateau. " Les premiers bateaux n'arrivent pas au Lido à midi. Salaud, tu es un salaud ! Et c'est quoi ce parfum ? Tu pues ! Salaud ! Salaud ! " »

Kim, Greta, Liisa, Kimiko, la jolie vendeuse de la papeterie à Tokyo qui l'avait menacé de lui donner des coups de couteau s'il couchait avec une autre Japonaise... Togawa Kimiko, une anguille au lit, possédait une panoplie de cravaches et le fouettait avant de faire l'amour.

Il n'aurait jamais cru qu'être fouetté par une femme pouvait être excitant à ce point, ce qui le changeait des coups de bâton reçus huit jours plus tôt dans le temple zen, mais était-ce si différent ? Que venaient faire ces femmes étrangères dans sa vie ? Il se contentait avec elles d'échanges approximatifs, se condamnant à parler un anglais épouvantable, du finlandais d'opérette, du norvégien d'école primaire. *Greta, jeg savner deg veldig. Sjarmerende Greta !* Il s'en était ouvert au Dr Zscharnack qui avait évoqué la peur de la langue maternelle : « Ne chercheriez-vous pas à échapper à votre mère en contant fleurette à tant d'exotiques donzelles ? Heureusement vous faites du cinéma ! Si vous écriviez... » Docteur, vous aviez raison. Depuis que j'écris, c'est pire. *Madamina, il catalogo è questo...*

Pourquoi se souvenait-il de ces vieilles histoires ? La vie qu'il menait ne le satisfaisait pas et il se réfugiait dans l'évocation de situations anciennes où ses besoins et ses désirs étaient comblés. « J'ai eu une vie brillante », pensa-t-il. C'était bien terminé. Ce soir il retrouverait Astrid Varnay chantant la mort d'Isolde, Lisa Ekdahl chantant *Plaintive Rumba* – des voix

218

scandinaves. Gardera-t-il les prénoms de Greta et de Liisa dans le roman ? Liisa est peut-être grand-mère aujourd'hui. A-t-elle laissé tomber sa carrière d'actrice ? Continue-t-elle de s'intéresser à la littérature française ? Sait-elle que le jeune cinéaste qui lui embrassait frénétiquement les seins dans la Merceria et sur le Rialto est devenu l'auteur d'une dizaine de romans ? Quand ils s'étaient revus à Paris, quelques mois après Venise, ils avaient passé des heures dans la petite librairie de Mme Tschann et à la Hune. Greta a-t-elle disparu dans l'Inde du Sud comme elle l'avait annoncé dans une lettre postée de Bénarès ? Parle-t-elle couramment le tamil ? S'il n'était pas devenu romancier, François se souviendrait-il de toutes ces jeunes femmes avec autant de précision, avec autant d'exagération ? Après tout, il les avait à peine connues. Il s'était forgé un credo : « Ce que je demande aux femmes que je rencontre, c'est de me donner envie d'écrire. » Se souviendra-t-il encore de Juliette Chavoz dans dix ans, de cette nuit grenobloise moins fulgurante mais plus tordue que sa nuit vénitienne avec Liisa Peltomaa – une question de décor, peut-être – et l'évoquera-t-il dans un roman ? Ecrira-t-il encore des romans dans dix ans ?

S'il avait fait de son Weyerstein un tueur en série, il n'aurait pas à exercer aujourd'hui son sadisme contre lui-même, il le dirigerait contre ses lecteurs en décrivant des scènes d'assassinats pour lesquelles il n'a aucun goût, des scènes où il y a des crânes troués à la perceuse, des cervelles passées au mixeur, de la moelle épinière suintante étalée sur les murs, des bulbes rachidiens gobés comme des huîtres. Bien que les rapports entre un serial killer et sa génitrice soient sûrement riches en activités psychiques déconcertantes, ils n'étaient pas de ceux qu'il souhaitait aborder dans *Trois jours chez ma mère*.

S'accepter tel qu'on est, songea-t-il, demande une humilité quasi évangélique, et s'il avait appris chez les pères jésuites que l'humilité consiste à prendre conscience de la distance infinie qui nous sépare radicalement de Dieu, l'écriture de ce roman lui faisait prendre l'amère conscience de la distance qui le séparait de lui-même. Il n'en était pas à son premier livre. Il aurait dû savoir qu'il est encore plus difficile de parler de ce qu'on connaît bien que du reste. Weyerstein serait-il son souffre-douleur plutôt que son porte-parole ?

Au lieu de commencer le roman par cette scène de valses dans un salon bourgeois, il pourrait s'inspirer du voyage qu'il avait fait avec sa mère au Canada à la fin des années quatre-vingt. Ces hésitations perpétuelles retardaient son travail et l'agaçaient, même si l'expérience lui avait appris que les meilleures idées sont rarement les premières. « Il n'y a que la dernière minute qui m'excite, les autres la préparent », pensa-t-il – une vision orgasmique de la vie  Il ne voulait pas finir comme l'âne de Buridan mourant de faim et de soif entre un seau d'eau et une botte de foin. Il n'avait qu'à commencer le livre avec la scène de Weyerstein et sa mère traversant le Canada en train. Montréal-Vancouver. Entre Montréal et Ottawa, le ,rain avait déjà pris une heure de retard. Des ,ours et des jours de voyage, des kilomètres et des kilomètres de champs de blé à perte de vue après avoir longé le lac Supérieur. Le train s'était arrêté dans une petite gare du Manitoba où ils avaient dansé sur le quai au son d'un orchestre klezmer. Les musiciens parlaient yiddish entre eux. Le clarinettiste avait plu à sa mère. Ce ne serait pas mal comme début. Il tenait les pages raturées dans ses mains, les voyait s'éloigner, devenir floues, ses yeux se fermaient malgré lui, il aurait voulu avoir une troisième paupière comme un oiseau de nuit, une phrase latine lui revint en mémoire, *in mente est mihi dormire...* Il n'avait jamais supporté de s'endormir dans un train, il avait peur de ronfler, de gémir ou de pousser dans son sommeil des cris d'angoisse.

Il rentrait à Paris après avoir refusé les invitations de ses amis, huit jours à Ibiza, dix jours en Toscane, quinze jours au Tyrol, préférant ses trois jours chez sa mère! Il avait mal au ventre. Ses intestins gargouillaient. Il n'aurait jamais dû manger cette « galimafrée de porc » — une recette moyenâgeuse, avait dit le chef — en compagnie des quelques libraires de Grenoble qui l'avaient invité à déjeuner. En résistant au sommeil, il se souvint des histoires édifiantes de pets qu'il avait lues dans des livres sur le bouddhisme. Les moines bouddhistes, quand il leur arrivait de lâcher un pet au milieu d'un sermon, en faisaient un sujet de méditation sur la vie éphémère et fugace au lieu de se boucher le nez. Au Eiheiji, il avait dormi dans une des *guest rooms* du temple, entouré de pèlerins japonais qui ronflaient et pétaient à qui mieux

mieux. En pleine nuit, il avait cru voir, éclairé par le rougeoiement d'un poêle à charbon, le masque livide d'un démon de théâtre nô alors qu'il s'agissait d'un moine préposé aux hôtes de passage venu le secouer en lui apportant un bol de riz : « *On your feet, on your feet !* » Depuis des siècles, on réveillait les pèlerins du Eiheiji dans un tintamarre de cloches et de gongs.

Ce n'étaient pas les percussions du temple qui venaient de le faire sursauter mais la sono du wagon. Le temps que François émergeât, le train entrait en gare de Lyon. Ses compagnons de voyage étaient déjà tous debout, leur attaché-case dans une main, leur portable dans l'autre, agglutinés près de la sortie comme des pilotes de Formule 1 et prêts à se battre pour gagner quelques secondes dans leur galopade vers les taxis. Une fois sur le quai, François comprit ce qui manquait à cette gare. Des statues. Il aurait fallu des statues partout, en marbre, en bronze, des statues équestres, des lions blessés, des femmes nues. Les statues contrasteraient avec le remue-ménage ambiant. Il suffisait d'aller les chercher dans les réserves du musée d'Orsay. Au moins les gens les verraient et la gare n'aurait plus l'air d'un endroit où l'on veut se débarrasser de vous au plus vite en vous indiquant soit les heures de départ, soit la sortie. Un bon sujet d'article. Son sac lui parut plus lourd qu'à Grenoble. Il avait hâte de revoir Daphné. L'avait-il trahie la nuit dernière ? Elle lui avait confié un jour : « Si nous sommes ensemble depuis si longtemps, on peut en remercier tes incartades. Si tu n'avais aimé que moi, ça n'aurait pas pu durer. Une trop grande pression amoureuse aurait fini par m'étouffer. Mais ne va pas croire que ça m'a rendue heureuse, c'est ça l'ambiguïté. » Toute l'énergie qu'il gâchait et gaspillait dans de pseudo-histoires d'amour depuis trente ans, s'il l'avait consacrée à n'aimer que Daphné, ne seraient-ils pas, quoi qu'elle en dît, plus heureux tous les deux en ce moment ? Dans le taxi qui, après avoir traversé la place de la Bastille, s'engageait dans la rue Saint-Antoine, il imagina Daphné épanouie grâce à lui et se trouva prétentieux. Comme si le bonheur de quelqu'un pouvait dépendre d'une seule personne ! L'avait-il trahie ? Il n'avait même pas baisé à Grenoble, il n'avait fait que caresser et embrasser les seins de Juliette qui lui avait demandé s'il ne les trouvait pas trop gros : « Je

224

m'en offrirai une nouvelle paire à Noël, j'ai pris rendez-vous avec un chirurgien. » Une fille très mince, avec des épaules de garçon et une grosse poitrine, libre à elle de vouloir devenir plus banale et de se faire opérer – une fille à qui il ne penserait de toute façon plus d'ici à quelques jours.

Vers minuit et demi, Chloé annonça qu'il fallait qu'elle rentrât. Son avion décollait dans quelques heures. Elle partait pour deux mois et elle n'avait pas encore fait sa valise. Tant pis, elle dormirait dans l'avion. Les deux sœurs quittèrent l'appartement en même temps. Malgré la fatigue, François descendit avec elles, les accompagna jusqu'à la station de taxi et nota sur son paquet de cigarettes les numéros des plaques minéralogiques, comme quand elles étaient plus jeunes et qu'il leur téléphonait ensuite pour savoir si elles étaient bien rentrées.

Il était toujours allé au Québec en hiver. Il se demanda à quoi pouvaient bien ressembler, au milieu du mois de juin, les étendues blanches du Labrador et du nord du Québec qu'il avait tant de fois survolées et observées jusqu'à l'apparition des cristaux de glace opaques venant se coller au hublot quand le commandant de bord annonçait la descente sur Montréal. Quand il rentra, Daphné était déjà au lit. Avant de tomber comme une masse à côté d'elle, il passa un tee-shirt pour masquer ses bleus.

Le lendemain, sur le téléphone-répondeur qui lui était réservé dans l'appartement (Daphné avait une autre ligne), il entendit la voix de Juliette Chavoz : « J'espère que l'homme de parole que vous êtes est en train d'acheter un téléphone portable et j'espère que vous me donnerez vite votre numéro. » L'après-midi même, il achetait un téléphone portable. « Vous êtes content du vôtre ? demanda-t-il au vendeur, je prends le même. » Il découvrit l'univers de messages écrits, télé-grammes électroniques ou télémessages – per-sonne ne leur avait trouvé un nom convena-ble –, texto ou S.m.s. Juliette proposa le verbe « messageonner » et son premier « messageon » fut : « Appartenez-moi ! » François la persuada d'acheter un fax, un moyen de communication plus subtil selon lui qui se méfiait des ordina-teurs et de l'e-mail (qu'au Québec on appelle un émile, lui apprit Chloé), et à plus forte raison des téléphones portables dont il allait cependant user et abuser dans les mois qui suivront.

Le premier fax de Juliette fut consacré au désir sexuel, elle y parlait de volonté d'aimer et d'être aimé, de fantasmes, de la masturbation et utilisait le verbe « se caresser », que ni François ni l'Académie française n'admettaient dans ce sens : « Quant à ceux qui ne se caressent jamais, je m'en méfie. » La fin du fax était : « Regardez les femmes et bandez, Monsieur Graffenberg. » Huit jours après, ils s'étaient envoyé de nombreux messages sur leurs portables, où l'envie de baiser se faisait de plus en plus intense de part et d'autre et, n'y tenant plus, François reprit un train pour Grenoble. A la gare, il acheta quelques mignonnettes de whisky – encore un mot qu'il détestait. Juliette l'attendait sur le quai de la gare et, dans la rue, il lui caressa les fesses sous la jupe tandis qu'elle protestait en le menaçant d'ouvrir sa braguette et sortir sa queue devant tout le monde. Dans l'appartement déserté par son boy-friend, Juliette l'entraîna dans la chambre : « Inaugurons le matelas, il a été livré ce matin. Il paraît

qu'il épouse les mouvements du corps. C'est
un cadeau de mon père. » Décidément, elle
aimait le verbe épouser. Le sommier ressemblait à un tapis volant et le matelas, qui avait
coûté une fortune à un homme en quête de
gendre, s'appelait Fascination. Est-ce qu'elle
était bien sûre que personne d'autre n'avait les
clefs, lui demanda François, un peu inquiet.
« Rassurez-vous, mon mec s'est bel et bien tiré,
ce n'est pas que je n'aie pas un peu essayé de le
retenir. »

Le lendemain, Juliette allongée toute nue sur
un canapé demanda à François de s'asseoir sur
une chaise à deux mètres d'elle et de se masturber. Ils se regardaient dans les yeux et au bout
d'un moment, il lui demanda : « A quoi pensez-
vous ? — Pas à vous. — Vous m'avez déjà
oublié ? — Depuis longtemps. Je pense à un
autre homme que vous. J'ai eu envie de lui en
l'apercevant dans la rue hier après-midi. » Il éja-
cula. Elle venait de l'entraîner dans des fantasmes qui les surexcitèrent l'un et l'autre
durant quelques mois. Elle ferait l'amour avec
d'autres hommes et le lui raconterait à condition qu'il se montrât de son côté d'une fidélité
absolue : « Je vous demanderai la permission.

Faire l'amour avec un autre en sachant que vous êtes d'accord décuplera la jouissance, et aussi d'y repenser en jouissant avec vous. »

Après quatre jours où ils ne quittèrent pas l'appartement et à peine le matelas, sauf pour ouvrir des boîtes de conserves ou aller ensemble à la salle de bain, François dut rentrer à Paris. Il fallait qu'il obtînt un nouvel à-valoir d'un de ses éditeurs et puis il avait un rendez-vous qu'il ne pouvait pas reporter à la Trésorerie de son arrondissement. Le comptable du Trésor l'invitait à se présenter à son bureau « pour y régler l'affaire suivante : étude de votre dossier concernant le règlement de l'impôt sur vos revenus des trois dernières années ». Il reviendrait à Grenoble le plus vite possible. Sur le chemin de la gare, il dit à Juliette combien il aimait ses jolies petites fesses et elle répondit : « Ça tombe bien, vous n'en connaîtrez plus d'autres. »

Il n'avait pas de bagage et, à la gare de Lyon, il prit le métro pour arriver à l'heure au bar du Montalembert où il parlerait d'argent avec une éditrice qui souhaitait un livre de lui pour une collection qu'elle venait de créer. Au moment de trouver un thème possible pour ce livre – il suggérait « La Rencontre » – il sentit son portable vibrer dans la poche de sa veste. C'était un message de Juliette : « Je viens de finir la dernière petite bouteille de whisky, je préfère le goût de votre sperme. » Il fallait qu'il avançât un chiffre, combien de francs qui feraient combien d'euros, et combien tout de suite, combien à la remise du manuscrit, lorsqu'il reçut coup sur coup trois autres messages : « Venez forer mon sexe, boucher ma bouche de toutes les façons. Empalez-moi, labourez-moi, je suis folle de désir », « Baisons en riant, amoureusement, lentement, violemment. Votre corps, votre bouche, je vous aime » et « Dites-moi que je suis votre femme. Je suce amoureusement votre queue »[1].

---

1. *Note de François Weyergraf :* Je ne peux pas, décidément ni décemment, développer cette histoire entre Graffenberg et Juliette Chavoz dans le livre sur ma mère. Juliette mérite plutôt d'être l'héroïne d'un chapitre de *Coucheries*. J'aime bien le passage dans le train de retour avec les autruches, le moine du Eiheiji, le voyage au Canada avec la mère. J'ai pris ce train tout seul il y a longtemps, en 1970

je crois. J'avais vingt-huit ou vingt-neuf ans et j'avais voulu convaincre Caroline, une Québécoise de mon âge, de m'accompagner mais elle n'avait pas de quoi payer son billet et refusa énergiquement que je le lui offre : ce fut le seul regrettable effet du féminisme sur ma vie privée. J'ai conservé toutes ses lettres et la carte routière du Québec qu'elle m'envoya : « Afin que tu puisses me suivre jusqu'au lac Serpent, en passant par Hull et Birmingham, tristes noms anglais. Je serais bien passée par Saint-Ours, Contrecœur, Venise-en-Québec, Pointe-Calumet, Saint-Zotique, Sainte-Emilie-de-l'Energie et même Grand-Remous pour te faire plaisir, mais le détour eût peut-être été fastidieux. Seule, c'est sans intérêt. » Je voulais que nous allions ensemble à Grand-Remous à cause du nom, je m'en souviens. Il faudrait que je retrouve mes notes sur le Transcanadien, où la plupart des voyageurs étaient des gens qui s'imposaient cinq jours de train par peur de prendre l'avion. Le wagon-restaurant était extrêmement chic, avec de la vaisselle en porcelaine et de l'argenterie sur les tables, une vaisselle qui fut plus tard vendue aux enchères. Paradoxalement, on se sentait un peu comme

sur un bateau. Je finissais par penser :
« Pourvu qu'on n'arrive pas. » J'ai gardé un
souvenir fabuleux des heures pendant les
quelles on a longé les Grands Lacs. J'ai eu le
temps de lire presque tous les Omnibus Sime-
non cartonnés, une bonne dizaine de volumes
que j'ai donnés avant de rentrer au consul de
France à Vancouver.

Juliette Chavoz doit tout à mon histoire
avec Katlijne à Bruxelles, une histoire aujour-
d'hui terminée, ce qui me permettra de mieux
l'écrire. J'ai esquissé un plan :

Graffenberg va rejoindre Juliette et n'emporte rien, ni machine à écrire, ni livres, ni son
début de roman, ni vêtements. Chaque jour il
se dit qu'il va rentrer le lendemain, mais il ne
rentre pas. Il envoie par fax à Daphné son
numéro de portable mais elle ne réagit pas.
Silence total de Daphné. Il continue de lui
envoyer des fax, un par semaine à peu près,
« de plus en plus agressifs », lui dira Daphné. Il
se sent coupable. Envers Daphné ? Ou de ne
pas travailler à son roman ? Il ne communique
pas non plus avec ses filles, ni avec ses amis, ni
avec sa mère. Le lecteur voudra savoir ce qui
se passe en lui : ne pas ménager la chèvre et le

chou, raconter ce qui lui plaisait là-dedans, ses doutes mais aussi l'intoxication sexuelle. Quand, au bout de deux mois et demi alors qu'il n'était parti que pour quelques jours, il rentre à Paris, Daphné a disparu, Daphné qui avait dit à François : « C'est obscène de vouloir te casser maintenant, il fallait le faire plus tôt. » Il avait promis à Juliette de revenir très vite. Lasse de l'attendre, elle débarque à Paris, loue un studio minuscule et moche pas loin de chez lui. Ils refont l'amour sans arrêt mais il ne pense qu'à Daphné. Où est-elle, que fait-elle... Il dit à Juliette qu'il ne veut pas l'épouser, elle tente de se suicider. Elle s'endort dans ses bras, il trouve qu'elle a un corps de plus en plus froid, elle finit par avouer qu'elle a avalé des médicaments, il appelle les pompiers. Dans l'ambulance, un jeune pompier déclare : « Moi, si ma copine essayait de se suicider, je la plaquerais. » (François : « On ne vous a pas demandé votre avis. » Juliette : « Laissez-moi mourir. ») Après le lavage d'estomac, rencontre obligatoire avec un psychiatre qui dit à Juliette : « Vous avez voulu vous tuer au lieu de tuer votre mère » (sic). Ils coucheront encore ensemble. Juliette : « Notre histoire va finir bêtement, c'est dommage pour ce qu'on a vécu. » J'ai plein de notes là-dessus. Katlijne me disait : « Je n'aurais pas pu me coltiner pire que toi. J'ai honte par rapport à la jeune fille que j'étais, cette jeune fille n'aurait jamais voulu se mettre avec un mec qui a déjà quelqu'un dans sa vie. » (Que croyait-elle en tombant dans les bras d'un quinquagénaire ?)

4 mars 2003. Mardi gras, dernier jour du carnaval, mais que sont devenus les carnavals ? « Mardi gras », n'était-ce pas le nom d'un groupe pop anglais au début des années soixante-dix ? Je dois avoir un 45 Tours d'eux, à moins que ce ne soit le titre de la chanson ? Je possède tant de choses et je ne sais plus où je les ai rangées. C'est dans la mémoire qu'elles sont le plus à l'abri, choses devenues des phrases, par exemple : « Les derniers carnavals n'ont pas été gais. »

J'ai parfois l'impression de jouer le rôle de celui qui pense anormalement par rapport au groupe, ce que la psychologie sociale appelle un excentrique. Je m'écarte pourtant si peu des habitudes reçues.

Je voudrais mourir le plus tard possible en pleine santé. Je parle de la mort puisqu'un livre qui ne parle pas de la mort est pris moins au sérieux. Les auteurs d'autobiographies sont privilégiés : ils ont toujours plusieurs morts à raconter. A quoi bon écrire sur les morts ? N'est-ce pas les enterrer une seconde fois ? La mort des autres nous conforte dans l'idée que notre vie est précieuse, importante, essentielle, unique. Nos morts valorisent nos vies. Nous leur survivons en leur promettant de bien penser à eux, ce qui n'est pas cher payé pour le cadeau qu'ils nous font, c'est-à-dire permettre qu'on leur survive. Bien sûr, en revenant du cimetière, on s'en veut d'être content que, cette fois-ci encore, ce n'ait pas été notre tour. J'ai depuis longtemps le plus grand désir de me promener en pyjama dans la rue. Quand j'avais un pyjama, je n'ai pas osé le faire, et aujourd'hui je ne porte plus de pyjama. Je voudrais que les antiquaires chez qui j'admire une table ou un fauteuil m'en fassent spontanément cadeau, de préférence en ajoutant qu'ils aiment beaucoup mes livres. J'aimerais me payer une suite à l'année dans une vingtaine d'hôtels de luxe un peu partout dans le

monde, avec une terrasse privée donnant sur
un lac, un océan, une chaîne de montagnes,
une avenue très animée, à Zanzibar, à Madrid,
à Londres, à Lugano, à l'Akasaka Prince Hotel
à Tokyo, au Métropole à Bruxelles, à l'Hôtel
de Russie à Rome, au Duchessa Isabella à Fer-
rare, au Bosphorus Pasha à Istanbul, au Vier
Jahreszeiten à Hambourg, au Lausanne Palace,
à l'hôtel Elephant à Weimar, au Mexique, à
New York, à Bombay, à Madras, partout, partout. Je voudrais que les femmes que je trouve
attirantes dans la rue se précipitent vers moi,
pas trop vite pour ne pas m'effrayer, et, plan-
tant là leur fiancé ou leur poussette, abandon-
nant leur auto au milieu d'un carrefour,
laissant fondre leurs produits surgelés dans
leurs caddies, m'embrassent d'une manière
effrénée, passionnée, violente, et me disent...
mais je n'ai pas de conseil à leur donner.
Jusqu'à présent, d'une façon ou d'une autre,
elles s'en sont très bien sorties avec moi,
comme la jeune prostituée si jolie et si peu
vêtue qui m'aborda aimablement en haut
des Champs-Elysées · « Je t'emmène, mon
chéri ? » et à qui j'ai souri en passant et repas-
sant devant elle, mourant d'envie qu'elle

237

m'emmène, n'osant pas me décider, craignant qu'elle soit trop chère pour moi. Une heure plus tard, je la croisai dans un couloir du métro à Franklin-Roosevelt. Elle avait fini de travailler, elle portait des chaussures plates et un imper, elle me reconnut et me lança avec un évident dédain : « Connard ! » Je devais avoir dix-neuf ans et elle aussi. Depuis, lorsque des prostituées m'adressent la parole, je m'arrête et discute avec elles.

Aujourd'hui, lundi 4 août 2003, c'est mon anniversaire. Je suis né le jour de la fête du curé d'Ars. Quarante-huit heures plus tard, c'était la Transfiguration, une fête d'une tout autre classe. J'aurais dû me débrouiller pour naître ce jour-là. Nous n'étions pas à deux jours près, ma mère et moi. L'accouchement dura toute la journée. Je naquis vers dix-neuf heures. Le gynécologue utilisa les forceps, un instrument dont j'allais retrouver le nom latin quinze ans plus tard en traduisant Virgile, l'année où j'allai voir avec Maman le film d'Helmut Kaütner sur Louis II de Bavière, un film où je fus moins troublé par la folie du roi qu'interprétait si bien O.W. Fischer, que par le plan beaucoup trop court d'une femme étendue sur un lit et dont je devinais les seins — deux seins qui se soulevaient quand elle respirait! —, un plan inoubliable puisque je ne l'ai pas oublié, et je n'ai pas oublié non plus que j'avais peur que ma voisine ne devine à quel point cette image me bouleversait. Je serais curieux de revoir ce film. Je me demande qui était l'actrice. La semaine dernière, ma mère m'a téléphoné pour m'apprendre le décès de Katharine Hepburn, qui fut une des femmes les plus belles et les plus douées de l'histoire du cinéma. Elle est morte à quatre-vingt-seize ans. Maman m'a rappelé que, pour son compte, elle approche des quatre-vingt-dix.

Elle s'est fait opérer des deux genoux ces dernières années. L'épaisseur du cartilage du genou diminue d'année en année à cause de l'usure. C'est un cartilage articulaire. Depuis que je sais que les autres cartilages, comme les oreilles et le nez, augmentent avec l'âge, je me regarde différemment dans la glace. J'ai rendu visite à ma mère pour ses deux opérations, je l'ai vue avec un cathéter dans la cuisse, redoutant comme elle qu'il ne se détache pendant

239

les soins infirmiers. Elle se plaignait : « Dans cet hôpital, on souffre de tout sauf de la solitude. La porte de ma chambre s'ouvre sans arrêt. Pour un oui ou pour un non, une infirmière vient me demander si ça va. Par contre, quand je sonne elles n'arrivent pas. A la limite, mais je ne dis pas ça pour toi, les visites sont agaçantes. Les amis qui passent, c'est souvent la barbe, il faut faire attention à eux, ils me déballent leurs problèmes alors que j'ai les miens. » Le médecin qui l'auscultait le matin, au lieu de la rassurer avec une ou deux phrases banales, parlait de destruction progressive des structures articulaires et utilisait des mots comme « musculosquelettique ». Je l'ai aidée à faire de la marche dans le couloir de la clinique. Avant de quitter son lit, ses béquilles lui glissaient des mains comme des anguilles : « Attraper mes béquilles me fait prendre des poses dignes du Kama Sutra ! On dirait qu'elles ont une existence indépendante. »

Quelques années plus tôt, quand elle se fit opérer de la cataracte et qu'on lui plaça une prothèse de cristallin en plastique dans l'œil, détail qui m'avait fait frémir, elle n'avait eu qu'un commentaire : « Ce qui m'a déprimé,

240

c'est de découvrir dans le miroir toutes ces rides que j'ignorais ! » Je lui expliquai que l'opération de la cataracte (je m'étais renseigné avant de venir) était déjà mentionnée dans le Code d'Hammourabi vingt siècles plus tôt et que de vieux textes bouddhiques en faisaient un symbole de la disparition de l'ignorance. Je lui avais envoyé la photo de baguettes tibétaines rituelles en or destinées à l'extraction symbolique de la cataracte et permettant l'accès à une connaissance supérieure qui n'avait rien à voir avec la découverte des rides. Je crois que c'est à l'époque de sa première opération de la cataracte que Frédéric Trubert est mort. Pendant plusieurs mois, elle garda cet immense chagrin pour elle. Je l'appris beaucoup plus tard : « J'aimais sa voix. Il ne me téléphonera plus jamais. Finalement, il est mort avant sa femme qui était malade depuis plus longtemps que lui. J'en demande pardon à Dieu, mais je souhaitais le contraire. » Frédéric mourut d'un cancer du côlon alors qu'il venait enfin de convaincre Maman de partir pour le Kenya, au bord d'une plage sublime au sud de Mombasa. Les billets d'avion étaient payés lorsqu'il entra à l'hôpital où il mourut sans qu'elle ait pu lui rendre visite, ni suivre l'évolution de la maladie, ni lui parler une dernière fois au téléphone. Elle reçut, envoyé par le fils aîné, un faire-part de décès.

4 août. A l'heure du déjeuner, on a sonné à la porte. J'étais déjà levé, j'attendais qu'on me livre un bouquet de fleurs annoncé par un texto de Madeleine et je me suis précipité pour aller ouvrir. Je reconnus tout de suite l'huissier du Trésor public. Ma date de naissance n'est un secret pour personne à la Trésorerie principale, ils auraient pu choisir un autre jour. Cet huissier, c'est toujours le même, je finirai par l'appeler par son prénom, Jean-Baptiste. Dans mon prochain fax, au lieu de lui donner du « Cher Maître » en pensant lui plaire, je commencerai par : « Mon cher Jibé, qu'est-ce qui te prend de m'écrire que le Comptable du Trésor t'a chargé de saisir mes meubles ? Tu ne vas pas faire ce sale coup à ton vieux Frankie ? » Entre-temps, il est là, un peu penaud, et il articule d'une voix morne, comme si nous ne nous connaissions pas : « Je suis l'huissier du Trésor public. » Il reste sur le pas de la porte. Un texte de loi lui interdit peut-être d'entrer chez les gens avant d'y être invité. J'en rajoute :

« Faites comme chez vous. » Je lui avais envoyé un fax : « Maître, il n'y a rien à saisir chez moi, je déteste le confort et les meubles, je suis prêt à organiser une visite guidée de mon appartement à votre intention, vous constaterez ma bonne foi », et en refermant la porte derrière lui, il me dit avec humour, une qualité insolite et même anormale dans sa profession : « Je viens pour la visite guidée. » Un 4 août, il aurait mieux fait d'être en vacances, mais chacun sa vie, et j'ajouterai : « Chacun sa vie, chacun sa merde », comme le constatait Woglinde à vingt ans, un soir de grande tristesse, d'une voix abattue dont je me souviens chaque fois que je me laisse aller à croire que personne ne peut rien pour personne.

Depuis que je suis menacé d'une saisie-vente, ou d'une saisie-exécution – des nuances qui m'échappent –, j'ai créé dans deux des pièces de l'appartement une sorte de studio indépendant que je montrerai à tout huissier de passage comme le lieu où j'habite, entouré de mes biens insaisissables. Un futon, une couette et un oreiller complètent le décor. Mes livres perdraient-ils leur caractère de nécessité en raison de leur quantité ? « Ne t'inquiète pas, les huissiers ne sont pas bibliophiles », m'a dit un ami avocat qui me conseillait quand même de mettre à l'abri chez des proches les objets auxquels je tiens, mes masques africains par exemple, tout en m'apprenant que l'organisation d'insolvabilité est un délit. Sur la porte de chacune de mes pièces, j'ai scotché une fiche de bristol blanc qui a de quoi donner des doutes sur ma santé mentale aux amis qui viennent me voir : « *Ici habite François Weyergraf.* » L'huissier du Trésor public fut-il dupe ? La rétine brillante, le cristallin en pleine forme, les paupières adhérant bien au globe oculaire, il n'avait pas besoin qu'on l'opère de la cataracte pour voir que nous avons dans l'entrée un canapé acheté en solde à la Samaritaine. On devrait dire œil d'huissier au lieu d'œil de lynx. Il traversa mine de rien les pièces que seule Delphine, dans mon scénario, est censée occuper, et je sentais bien qu'il notait l'absence de lustres et de doubles rideaux, de meuble-bar, de table basse en bois précieux, de fauteuils d'Harry Bertoia, de chaises d'Eero Saarinen. Je l'introduisis dans mon antre et je le vis rester baba devant l'indescriptible foutoir qui « règne » dans mon bureau. Il hésita à entrer.

Les neurones des voies visuelles de son cerveau devaient s'affoler. Howard Carter découvrant le trésor de Toutankhamon dans la Vallée des Rois ne fut pas moins frappé de stupeur que lui, j'imagine, bien que ce fût pour des raisons inverses. Il évita de marcher sur les manuscrits éparpillés par terre. En deux secondes, il avait tout évalué. « Votre bureau à cylindre vaut dans les dix mille euros, même dans l'état où il est, mais je ne vais rien noter. On va dire que je ne suis pas venu, sinon ma visite entraînera de nouveaux frais pour vous. » Était-ce son cadeau d'anniversaire ? Avait-il pris mon mobile de Calder pour un jouet d'enfant, mes vases d'Andries Copier pour des seaux à glace, n'avait-il pas repéré mon papier collé de Braque ou avait-il fait semblant, le jour de mon anniversaire, de ne rien voir ? En tout cas, j'avais eu affaire à un grand professionnel. J'ai beaucoup d'estime et d'admiration pour ceux que j'appelle les grands professionnels. Ce fut toujours mon rêve d'en devenir un. A Bizen, un haut lieu de la céramique japonaise, à une centaine de kilomètres à l'est d'Osaka, j'ai passé une soirée en compagnie d'un potier qu'on venait de nommer Trésor national vivant. Il avait lu quelques pages de moi traduites dans une revue d'étudiants qu'il sortit de la manche de son kimono. En me servant un saké rare, vieilli en fût de bois, il s'excusa de me poser une question difficile : « Weyergraf-San, quand vous écrivez que, pendant cinq ans vous n'êtes pas arrivé à finir un livre et que ces cinq années furent les pires que vous ayez vécu, voici ma question : est-ce que vous allez mieux maintenant ? » J'aurais dû répondre que parler avec lui me faisait du bien. Lui ou le saké ? Je reconnus que j'allais plutôt mal tout le temps, que j'écrive ou pas. Après un silence, il s'est mis à rire, et en mettant la main devant la bouche, il a dit : « Moi aussi ! Moi aussi je vais mal tout le temps. »

Vais-je aussi mal que je le prétends ? Rien n'est moins sûr. Je suis heureux d'être qui je suis et j'aime la vie que je mène. Personne ne mesure la chance qu'il a d'être qui il est. Etre soudainement changé en quelqu'un d'autre, ce serait horrible. Je préfère l'enfer à la réincarnation.

Madeleine, ma seule sœur qui habite Paris, n'avait pas pu se libérer le soir de mon anniversaire. Je l'avais remerciée au téléphone pour ses fleurs. Nous avions échangé quelques propos sur la Nuit du 4 août. Elle croyait que c'était le titre d'un tableau de Goya et je lui rappelai que c'était la nuit de l'abolition des privilèges en 1789, l'abolition de droits cruels mais aussi, avais-je pensé, l'apparition de l'impôt sur le revenu. Nous avions décidé de passer ensemble la soirée du samedi 9, par ailleurs fête de saint Amour – qui c'est celui-là, à part un beaujolais fruité, un bled dans le Jura et un fleuve mandchou? Encore et toujours la fainéantise des éditeurs d'agenda recopiant d'années en années des noms de saints dont tout un chacun ignore tout.

Le samedi 9, Madeleine, Delphine et moi, après avoir bu en guise d'apéritif deux bouteilles de Billecart-Salmon rosé à la terrasse du Wine and Bubbles, accompagnées de charcuterie et de foie gras, nous remontâmes à la maison pour manger quelque chose de chaud. Je proposai qu'on téléphone à ma mère. Elle était toujours heureuse d'apprendre que ses enfants se voyaient et pensaient ensemble à elle. Son numéro ne répondait pas. « Elle est sortie, c'est bon signe », me dit Madeleine qui, vers minuit, refit le numéro. Maman n'était toujours pas rentrée. A une heure du matin, j'allai dans ma pièce pour refaire le numéro de Maman depuis mon téléphone-fax. Je laissai sonner une trentaine de coups. Elle devait dormir profondément. Nous avions trop bu pour nous inquiéter. A quatre heures du matin, nous n'osions plus prendre le risque de la réveiller et j'accompagnai Madeleine dans la rue pour attendre avec elle un taxi. Ensuite, j'essayai de travailler un peu et m'endormis deux heures plus tard. Je me suis réveillé le dimanche en début d'après-midi. Mon répondeur clignotait. J'ai tout de suite pensé que c'était Maman. Elle avait dû apprendre par le 31.31 que nous l'avions appelée très tard. J'entendis la voix d'Olivier, mon ex-beau frère, le premier mari de Madeleine, qui est resté très proche de notre famille et surtout de Maman puisqu'il vit dans un village voisin du prieuré et qu'il lui rend de nombreux services. « François, c'est extrêmement grave. Il faut que tu arrives tout de suite. » Je dus réécouter le message deux fois avant de réaliser ce qui se passait. Maman avait été trouvée inanimée dans son jardin par des voisins qui s'étaient inquiétés en ne la voyant plus depuis deux jours. Elle avait été transportée à l'hôpital de Manosque. Claire, ma sœur aînée, qui se trouvait à un congrès de pédiatres à Toulouse, avait loué une voiture et était déjà en route. Plus tard, je découvrirai la note du médecin capitaine des pompiers : « Mme Lapidès Marie, veuve Weyergraf. Chute dans le jardin de 1 mètre de hauteur. A passé au moins une nuit dans le jardin. Téguments froids. Confuse. Désorientée. Perte de conscience. Doute sur fémur gauche. »

Pendant que nous lui téléphonions et que, sous l'influence du champagne, nous lui reprochions de ne pas entendre son téléphone, elle gisait inconsciente, la hanche fracturée, risquant une embolie pulmonaire, dans le jardin où elle était allée, comme chaque soir, arroser ses fleurs. Tandis qu'elle avait le plus grand besoin d'anticoagulants et de warfarine, nous nous gavions de foie gras et de champagne ! Elle nous dira qu'après sa chute elle avait entendu chaque sonnerie de télépnone mais qu'elle ne pouvait pas bouger. Elle entendit des chiens et des renards, des hululements, elle avait peur mais elle était incapable de bouger.

Je téléphonai à l'hôpital de Manosque où personne ne la connaissait. Le portable de Claire était sur répondeur. Olivier n'avait pas de nouvelles, lui non plus. Où était ma mère? Je rappelai l'hôpital et je finis par apprendre qu'on s'apprêtait à la transporter en ambulance dans une clinique d'Aix-en-Provence : « Ici, on ne pourrait pas la soigner comme il faut, votre Maman. » Pourquoi pas dans un CHU de Marseille? C'était quoi, cette histoire de clinique à Aix? Un accord entre deux directeurs financiers? Je me suis toujours demandé par quel miracle je finis par avoir ma mère au téléphone. Je compris qu'elle ne savait pas à qui elle parlait. Elle me vouvoyait et me demandait si j'aimais le cresson. Elle me parla pendant quarante-cinq minutes d'affilée. Elle divaguait, voulait qu'on emmène dans un zoo les hippopotames qui salissaient son jardin, me parlait de la chéchia de zouave que portait le curé le jour de son mariage, affirmait qu'elle était la fille d'un grognard de Napoléon, suppliait que personne n'oublie jamais, « au grand jamais », qu'elle était la mère de six enfants (suivaient des prénoms fantaisistes). Au bout d'une demi-heure, une infirmière lui prit le téléphone des mains pour vérifier qu'il y avait bien quelqu'un au bout du fil. Je lui expliquai que j'étais le fils de la malade, ce qu'elle dit ensuite à ma mère qui, reprenant le téléphone, enchaîna : « Elle veut que je raccroche, mais quand mes enfants me téléphonent, je ne suis jamais fatiguée. — Maman, tu es bien consciente que tu es dans un hôpital et que tu as le col du fémur cassé ? — Mais qu'est-ce que tu racontes, je suis dans la salle d'attente de mon kiné, il a revendu son bateau dans un port au Danemark, un bateau superbe, et il s'est acheté un appartement. Il m'a demandé quand tu sortais un livre. J'ai dit bientôt. Ils vont m'opérer ce soir, je crois, mais j'ai déjà été opérée des deux genoux, ils ne vont pas encore opérer mes genoux, tu le leur diras ? — Maman, tu es tombée dans le jardin et... — Tu sais qu'après soixante-quinze ans on ne change plus les anticoagulants de quelqu'un, c'est international ça. — Tu sais que tu es à Manosque à l'hôpital ? — Enfin, dis, François, n'exagère pas ! Je sais bien que mon kiné

251

est à Forcalquier, tout de même. — Maman, s'il te plaît, dis-moi où tu te trouves. — Dans la salle d'attente de mon kiné, il a acheté de nouveaux meubles après avoir vendu son bateau et ce soir je dois jouer au bridge. Il y aura les Lareau et les Franck, tu vois qui c'est, ça ne sert à rien de penser à tous ces gens, si ce n'est pour se prouver qu'on a encore un peu de mémoire. »

Elle fut transportée à Aix dans la soirée et j'eus des nouvelles alarmantes par Claire. J'arrivai le lendemain matin avec Madeleine. Nous avions pris le premier train. Toutes mes sœurs étaient là. Ma mère avait de nouveau réuni ses six enfants, Claire, François, Bénédicte, Madeleine, Agathe et Blandine.

Elle avait le corps plein de toxines non éliminées. Le bilan sanguin n'était pas très bon. Hier, les médecins de la clinique de Manosque avaient d'abord jugé qu'elle n'était pas transportable. Elle était en réanimation et nous étions admis à la voir à tour de rôle quelques minutes. Mes sœurs ressortaient en pleurant, et moi aussi quand ce fut mon tour. Elle ne nous reconnaissait plus. Le cerveau était sans doute atteint. A force de recoupements, nous avions réalisé qu'elle avait passé deux nuits dans son jardin. Elle était tombée le vendredi en fin de journée et on l'avait trouvée le dimanche. Un médecin nous dit qu'en hiver elle serait morte.

« Ne restez pas longtemps », me dit l'infirmière qui me conduisit vers le lit où je découvris en refoulant mes larmes un visage émacié, des yeux qui ne brillaient pas, la peau devenue cireuse de ma mère. Elle me parla aussitôt d'espions qui enregistraient tout ce que nous nous disions, elle s'énervait, me disait : « Chut ! Tais-toi ! Il faut que j'écoute ce que les espions sont en train de dire. » Avant de pouvoir pénétrer les uns après les autres dans le service, nous devions enfiler des chaussettes, des bonnets et des blouses bleu pâle taillés dans une sorte de nylon transparent et désagréable à toucher. Le matin du troisième jour, quand je lui demandai qui j'étais, elle réagit vivement pour la première fois : « Ne me prends pas pour une folle, tu es mon fils ! Tu as mis une chemise très élégante pour venir me voir, je t'en félicite. » Le soir, elle retomba dans ses histoires d'espions. Je guettais la porte par où ressortirait celle de mes sœurs qui venait de lui rendre visite. Nous voulions comparer nos impressions, dans l'espoir que l'un d'entre nous dirait enfin qu'il l'avait trouvée mieux.

Au lieu d'aller à l'hôtel, mes sœurs avaient décidé qu'on rentrerait chaque soir au prieuré. Conduire ne les a jamais effrayées et le prieuré n'était qu'à une bonne heure de voiture d'Aix par l'autoroute. Nous avions trois voitures. Le premier soir, avec Madeleine, nous étions si perturbés qu'on s'est retrouvés à Sisteron devant une publicité pour un musée Baden-Powell et nous éclatâmes de rire sans raison, un de ces rires qui s'emparent de vous, sans qu'on y puisse rien, dans les grands moments d'angoisse. Nous avions déjà été pris tous les deux d'un irrépressible fou rire lorsque nous avions veillé, dans la nuit qui précéda l'enterrement, le corps de Papa. Que venait faire le fondateur du scoutisme aux pieds de la citadelle de Sisteron ? Je me souvins du temps où j'étais louveteau : « Louveteau, apprends à avoir un vrai désir d'aider ta mère et montre-le-lui. Ta mère fera le reste. »

Olivier nous attendait et avait préparé un repas. Il était allé jusqu'à Banon pour acheter chez Boutin – ou chez Sauveur, je dois dire que je ne m'en souviens plus – une excellente viande à laquelle nous avons à peine touché. Toutes les prises électriques du rez-de-chaussée servirent à recharger les batteries de nos six portables pour donner des nouvelles de notre mère au reste de la famille. J'ouvris machinalement les tiroirs d'une commode, je tombai sur des lunettes de soleil cassées, un vieux Scrabble, des lampes de poche, des pinces à linge en bois.

J'allais enfin les vivre, ces trois jours chez ma mère. Chez elle et sans elle. Trois jours qui en devinrent cinq, où chaque soir nous étions persuadés, mes sœurs et moi, qu'elle ne reviendrait plus jamais habiter au prieuré. Elle risquait de mourir et, au mieux, cette petite femme moins fragile qu'il n'y paraît, qui venait de survivre à deux nuits pendant lesquelles d'autres seraient morts, ne pourrait plus vivre seule dans une maison éloignée de tout. Elle serait peut-être incapable de se nourrir toute seule, de s'habiller toute seule. Mais qui d'entre nous oserait confier à une maison de retraite une femme qui nous avait toujours déclaré : « Je me suiciderai plutôt que d'aller dans une maison de retraite. » Nous pourrions la prendre chez nous à tour de rôle. Nous allions nous coucher en nous persuadant qu'elle allait guérir.

Personne n'arrivait à s'endormir. Je sortais chaque nuit, seul, dans le jardin. Maman avait voulu passer un insecticide sur ses rosiers couverts de pucerons : « Ils sont très épineux et c'est en voulant les contourner que j'ai glissé. » Elle qui venait d'être opérée de la hanche, elle se plaignit de s'être abîmé les doigts en s'agrippant aux rosiers dans sa chute. Une de ses voisines, Mme Girard, était allé la voir à Aix et nous avait dit en cachant son visage dans ses mains : « Je crois que je ne la reverrai plus jamais. »

A trois heures du matin, j'éclairai avec une lampe de poche les rosiers envahis, en effet, par les pucerons. Elle avait fait couper l'herbe dans le fond du jardin par un employé de la mairie qu'elle appelait « mon jardinier ». J'aurais aimé parler avec Delphine mais il n'y avait pas de réseau dans le jardin, et Agathe dormait dans le salon où se trouvait le téléphone fixe. En m'efforçant de voir la différence entre la lumière scintillante des étoiles et la lumière stable des planètes, je respirais de l'azote et de l'oxygène, du dioxyde de carbone produit par la respiration des animaux et des hommes. Je reconnaissais les constellations d'été, celle de l'Aigle entre deux bras de la Voie lactée. J'avais écrit des mots comme « hyperanxieux » ou « désemparé » sans me douter que je serais un jour un fils qui aurait peur de la mort de sa mère. Je me disais qu'on n'écrit que pour sa mère, que l'écriture et la mère ont partie liée, qu'un écrivain dédie ses pages non pas à celle qui a vieilli quand il est lui-même en âge d'écrire et de publier, mais à la jeune femme qui l'a mis au monde, à celle dont on l'a séparé le jour de sa naissance. L'air était pur et sec, je songeais à tous les livres que j'avais lus dans ma vie et qui m'amenaient là, dans un jardin visité la nuit par des renards qui avaient effrayé ma mère. Quand elle fit quelques progrès et que j'osai lui dire qu'une de ses phrases était incohérente, Maman me répondit : « Tu sais bien que j'ai toujours dit magnétophone pour magnétoscope ! » Le dernier jour à la clinique, tandis que nous attendions l'ambulance qui la conduirait au-dessus de Nice dans le centre où elle ferait de la rééducation, elle me dit avec un grand sourire : « Je ne t'ai pas donné une fin pour ton livre, mais je t'ai donné une chute. » A peine rétablie, elle se préoccupait de moi ! Madeleine m'avait confié que, bien avant sa chute, j'inquiétais Maman : « Elle a peur que tu n'arrives plus jamais à écrire, elle se fait du mauvais sang. »

Elle fut bien soignée à Aix, même si nous avons, dans des moments de folle anxiété, insulté médecins et infirmières. Nous redoutions une sorte de fatalisme qui aurait pu faire penser au personnel soignant qu'après tout mourir à plus de quatre-vingt-huit ans c'était une belle fin. Quand elle reparle de la clinique d'Aix, Maman dit qu'elle la regrette : « Dans mon souvenir, je m'en fais un petit paradis. Ça me reste comme un bain de jouvence. J'étais là avec tous mes enfants. » Elle aime que nous lui racontions ce qu'elle disait pendant son délire. Elle s'inquiète de temps en temps : « Je n'ai dit du mal de personne, au moins ? » Et quand je suis seul avec elle : « Tu es sûr que je n'ai pas cassé du sucre sur le dos d'un de mes gendres ? »

Un autre jour, elle résuma son aventure : « Mes deux nuits dans le jardin, je ne sais pas comment t'expliquer... Dans mon malheur, c'était extraordinaire. J'ai vu deux fois le soleil se lever dans un immense ciel mauve et orangé, j'entendais toutes sortes de bruissements, des tintements de cloches. J'appelais au secours. Seuls les animaux m'ont entendue. J'ai vu défiler tous les chiens des environs. Je n'aurais jamais pensé qu'autant d'animaux s'approcheraient de moi, il y a même eu un petit lézard gris, avec un regard si gentil, j'ai pensé à toi, je lui ai parlé, je me demande ce que j'ai pu lui raconter. Quand j'entendais le téléphone sonner, je savais que c'étaient mes enfants mais j'étais incapable de me mettre debout, ni de ramper. »

Elle habite de nouveau au prieuré. Elle n'en fut absente que le temps d'une rééducation et il lui arrive de souhaiter en riant qu'on l'emmène une nouvelle fois aux urgences : « Mes six enfants viendraient immédiatement me voir ! Dès que vous seriez là, je vous avouerais que j'ai fait semblant d'être malade pour vous faire venir. On quitterait l'hôpital, on partirait dîner dans un bon restaurant. » Je ne sais pas si c'est pendant le même coup de téléphone qu'elle m'a confié : « On ne s'est pas vus depuis un an. Tu vas me trouver bien vieillie. » Et pire encore : « Je vais vers mes cent ans, je n'ai pas envie d'y arriver. » Il ne faudrait pas que je meure avant elle, mais je ne veux pas qu'elle meure avant moi. En plus des autres mauvais tours qu'ils vous jouent, vos parents, dès qu'ils vous font naître, vous obligeront tous, un jour ou l'autre et sauf mort prématurée de votre part, à suivre leur enterrement.

Les deux derniers jours avant sa sortie de clinique, je suis resté seul à Aix-en-Provence. Mes sœurs étaient reparties, elles avaient toutes du travail. J'ai pris une chambre d'hôtel. Le veilleur de nuit, un étudiant, reconnut mon nom. Il avait lu mon dernier livre et voulut savoir quand paraîtrait le prochain. Comme si j'avais la tête à ça ! Je me levais tôt et j'allais à pied à la clinique, j'apportais du saumon fumé à ma mère qui n'y touchait pas. Le soir, j'errais dans les rues. Je n'étais pas du tout intéressé par les jolies touristes que je croisais. Dans la journée, je n'ai pas eu le moindre désir d'entrer dans les merveilleuses librairies d'Aix et de bouquiner, ce qui ne m'était encore jamais arrivé de ma vie.

Ma mère m'avait dit : « Va au Monoprix sur le cours Mirabeau et achète-moi un couteau qui coupe, ici je dois me battre avec mes morceaux de viande. » L'air conditionné me fit du bien au sous-sol du Monoprix. Quand je remis le couteau à Maman, elle me dit qu'elle n'en avait pas besoin. Je l'ai toujours, il est sur ma table dans le carton bleu roi qui en protège la lame. Ma mère me conseilla de visiter l'atelier de Cézanne, que je ne connaissais pas. Elle y était allée avec Frédéric, la dernière fois qu'ils s'étaient vus. A l'étage, dans cet atelier pieusement reconstitué, je m'arrêtai devant les crânes que Cézanne gardait pour peindre ses fameuses têtes de mort. Un jour enfin, j'arrivai le matin à la clinique et je trouvai Maman assise dans un fauteuil. Elle avait les jambes nues, de toutes petites jambes amaigries. Dans sa chemise de nuit, une liquette rose avec des manches longues, elle ressemblait à une poupée de collection en porcelaine. On l'avait changée de chambre. Elle n'était plus seule et je la trouvai en grande conversation avec la propriétaire d'un pressing de Manosque. Elle lui promettait d'aller la voir et de lui apporter des vêtements à nettoyer. Sa vie sociale reprenait son cours. Rentré à Paris, je lui ai envoyé de longs fax, deux ou trois pages chaque fois. Je l'appelais le soir au centre de rééducation, je lui demandais si on lui remettait bien mes fax : « François, le dernier était si gentil que j'en aurais pleuré. » Elle n'a jamais voulu qu'on lui offre un fax, un répondeur et encore moins un lecteur de DVD, tout ce qu'elle appelle « ces modernités dont je ne saurais pas me servir ». Parfois, elle s'emporte : « On me dit que je devrais vendre le prieuré, louer un studio à Manosque. Ma vie deviendrait plus simple, paraît-il. Les gens veulent toujours réfléchir à ma place ! Je sais ce dont j'ai besoin, tout de même ? » L'autre jour, elle a bien voulu qu'on la conduise à une fête votive : « Les fêtes de village, ce n'est plus comme avant. La fumée des merguez empuantit tout. Quand je m'en occupais, nous préparions la nourriture nous-mêmes. Et la sono ! Il n'y a pas si longtemps, on engageait de vrais orchestres. Je suis restée à peine dix minutes. L'arthrose continue son travail. J'ai fait venir mon docteur. Je suis moins agile qu'il y a quinze jours. J'ai atteint un âge où on ne guérit plus, on passe d'une maladie à l'autre. La guérison, ce sera la mort. »

Ce soir, j'aurais aimé lui envoyer un fax, j'aurais aimé lui écrire que je viens de mettre le point final à un livre que j'ai décidé de terminer quand, après sa chute, j'ai passé trois jours chez ma mère.

Cet ouvrage a été imprimé par

**FIRMIN DIDOT**
GROUPE CPI

*Mesnil-sur-l'Estrée*

pour le compte des Éditions Grasset
en novembre 2005

Nº d'édition : 14060 – Nº d'impression : 76563
Première édition, dépôt légal : septembre 2005
Nouveau tirage, dépôt légal : novembre 2005
*ISBN broché* : 2-246-54591-9
*ISBN luxe* : 2-246-54590-0

*Imprimé en France*